I MITI

Rosamunde Pilcher

volumi già pubblicati
in edizione Mondadori

Autoritratto
Le bianche dune della Cornovaglia
La camera azzurra
La casa vuota
I cercatori di conchiglie
Fiori nella pioggia
I giorni dell'estate
Il giorno della tempesta
Profumo di timo
Ritorno a casa
Settembre
Sotto il segno dei gemelli
La tigre che dorme
Voci d'estate

Rosamunde Pilcher

NEVE D'APRILE

Traduzione di
Maria Cristina Paganoni

Arnoldo
Mondadori
Editore

Il nostro indirizzo Internet è:
http://www.mondadori.com/libri

ISBN 88-04-45644-2

Titolo originale dell'opera: *Snow in April*

I edizione Bestsellers Oscar Mondadori ottobre 1993
I edizione I Miti agosto 1998

Questo volume è stato stampato
presso Arnoldo Mondadori Editore S.p.A.
Stabilimento Nuova Stampa – Cles (TN)
Stampato in Italia – Printed in Italy

Neve d'aprile

1

Avvolta nel vapore profumato, con i capelli raccolti in una cuffia da bagno, Caroline Cliburn ascoltava la radio sdraiata nella vasca. Il bagno era grande, come tutte le stanze di quell'ampia casa. Una volta era stato uno spogliatoio, ma molto tempo prima Diana, avendo deciso che gli spogliatoi non si usavano e non servivano più, l'aveva smantellato, aveva chiamato gli idraulici e i falegnami e l'aveva arredato con porcellana rosa, una spessa moquette bianca e alla finestra tendoni di chintz lunghi fino al pavimento. Su un tavolo basso dal piano di vetro c'erano sali da bagno, riviste e grandi uova di sapone rosa dal profumo di rose. C'erano delle rose anche sugli asciugamani francesi e sul tappetino del bagno, dove in quel momento erano posate la vestaglia e le ciabatte di Caroline, la radio e un libro che aveva incominciato a leggere e poi abbandonato.

La radio trasmetteva un valzer. Un-due-tre, un-due-tre sospiravano i violini, evocando visioni di cortili con le palme, di signori distinti in guanti bianchi e di anziane signore sedute su sedie dorate che muovevano la testa al ritmo del grazioso motivetto.

"Metterò il completo pantaloni nuovo" pensò. Poi si ricordò che uno dei bottoni dorati della giacca si era staccato e che ora, molto probabilmente, era andato perduto. Sarebbe stato perfettamente possibile, naturalmente, cercare il bottone, infilare un ago, riattaccarlo. L'operazione non avrebbe richiesto più di cinque minuti, ma era molto più semplice non fare così. Meglio indossare il caffetano turchese, o il vestito di velluto nero lungo fino al polpaccio che – diceva Hugh – la faceva sembrare Alice nel paese delle meraviglie.

L'acqua si stava raffreddando. Aprì il rubinetto dell'acqua calda con il dito del piede e si disse che alle sette e mezzo sarebbe uscita dalla vasca, si sarebbe asciugata, preparata e recata di sotto. Sarebbe stata in ritardo, ma non importava. Tutti sarebbero stati lì ad aspettarla, raccolti intorno al camino, Hugh con la giacca di velluto da sera che lei in cuor suo detestava e Shaun con la fascia di seta scarlatta alla vita. E ci sarebbero stati gli Haldane, Elaine già al secondo Martini, Parker con quegli occhi acuti, insinuanti, gli ospiti d'onore, i soci d'affari di Shaun provenienti dal Canada, il signore e la signora Grimandull,[1] o un nome del genere. E, dopo una ragionevole attesa, si sarebbero tutti intruppati per la cena, zuppa di tartaruga, il pasticcio che Diana aveva trascorso la mattina a escogitare, e un budino sensazionale che probabilmente sarebbe stato servito flambé, con l'accompagnamento di "oh" e "ah" e "Cara Diana, ma come lo fai?".

[1] Gioco di parole intraducibile in italiano: Grimandull suona come *grim and dull*, ovvero severo e noioso. [*N.d.T.*]

Il pensiero di tutto quel cibo, come al solito, le fece venire la nausea. Era strano. Di solito la cattiva digestione era la prerogativa delle persone molto anziane, dei golosi o, in alcuni casi, delle donne incinte. Caroline, a vent'anni, non apparteneva a nessuna di quelle categorie. Non che si sentisse davvero male, era solo che non si sentiva mai bene. Forse prima del martedì seguente – no, di due martedì – sarebbe dovuta andare da un medico. Si immaginò mentre cercava di spiegare. "Sto per sposarmi e ho sempre la nausea." Vide il sorriso di lui, paterno e comprensivo. "Il nervosismo che precede il matrimonio è molto naturale, le darò un calmante..."

Il valzer si affievolì discretamente e subentrò l'annunciatore con il notiziario delle sette e trenta. Caroline si rizzò a sedere sospirando, tolse il tappo prima di soccombere alla tentazione di crogiolarsi ancora e uscì, appoggiando i piedi sul tappetino del bagno. Spense la radio e, asciugatasi frettolosamente, indossò la vestaglia e si incamminò verso la stanza da letto, lasciando impronte bagnate sulla moquette bianco panna. Si sedette al tavolino da toilette rivestito di stoffa, tolse la cuffia da bagno e osservò, senza entusiasmo, il suo triplice riflesso. I capelli lunghi, dritti e chiari come il latte, le pendevano sui due lati del viso come pennacchi di seta. Non era un viso grazioso nel senso comune del termine. Gli zigomi erano troppo alti, il naso schiacciato, la bocca grande. Lei sapeva di poter apparire sia orribile sia bella; soltanto gli occhi, distanti, marrone scuro, dalle folte ciglia, erano realmente notevoli, anche ora che la stanchezza la imbruttiva.

(Le venne in mente Drennan e qualcosa che le aveva detto una volta, molto tempo prima, tenendole la testa fra le mani e sollevandole il volto verso il suo. "Com'è che hai il sorriso di un ragazzo e gli occhi di una donna? Gli occhi di una donna innamorata, per di più?" Erano seduti nella sua macchina; fuori faceva molto buio e pioveva. Ricordava il suono della pioggia, il ticchettio dell'orologio sul cruscotto, la sensazione della mano di lui che le circondava il mento, ma era come ricordare un episodio di un libro o di un film, un episodio cui aveva assistito, ma senza prendervi parte. Era successo a un'altra ragazza.)

Afferrò bruscamente la spazzola, raccolse i capelli in un giro d'elastico e incominciò a truccarsi il viso. Nel bel mezzo di questa operazione, lungo il corridoio si udì il rumore di passi, leggeri sulla spessa moquette, che si fermarono alla sua porta. Qualcuno bussò leggermente.

«Sì?»

«Posso entrare?» Era Diana.

«Certo.»

La sua matrigna era già vestita, di bianco e oro, i capelli biondo-grigio raccolti a mo' di conchiglia e puntati con uno spillone d'oro. Era, come sempre, bella, sottile, alta, impeccabilmente curata. Gli occhi azzurri, evidenziati da una abbronzatura mantenuta con regolari sedute di lampada, facevano sì che spesso fosse scambiata per una scandinava. Se avesse indossato un completo sportivo da sci o un abito di tweed non sarebbe stata meno bella di come lo era in quel momento, vestita di tutto punto per una serata della massima formalità.

«Caroline, non sei ancora pronta!»

Caroline si mise a fare mosse complicate con lo spazzolino per le ciglia.

«Sono a metà. Sai come so essere veloce quando incomincio.» Aggiunse: «È forse l'unica cosa imparata alla scuola di recitazione che mi sarà sempre utile. Sai, truccarsi in un minuto esatto».

Era un'osservazione fatta senza pensare e se ne pentì immediatamente. La scuola di recitazione era ancora territorio proibito per quanto riguardava Diana che, soltanto al sentire il nome, arruffò le piume. Disse freddamente: «In tal caso, forse non sono stati completamente sprecati i due anni che hai trascorso là» e, quando Caroline, stroncata, non diede risposta, lei continuò: «Comunque, non c'è fretta. Hugh è qui, Shaun gli sta offrendo un drink, ma i Lundstrom saranno un po' in ritardo. Lei ha telefonato dal Connaught per dire che John è stato trattenuto a una conferenza».

«Lundstrom. Non ricordavo il loro nome. Li ho chiamati Grimandull.»

«Non è per niente carino. Non li conosci nemmeno.»

«E tu?»

«Sì, e sono molto simpatici.»

Incominciò a riordinare, in modo enfatico, le cose di Caroline, aggirandosi per la stanza, appaiando le scarpe, piegando un maglione, raccogliendo l'asciugamano umido nel mezzo del pavimento. Lo piegò e lo riportò in bagno, dove Caroline la sentì che cercava di pulire il lavandino, aprì e richiuse la porta dell'armadietto a specchi, senza dubbio rimettendo a posto il coperchio di un barattolo di crema detergente.

«Diana, di che cosa si occupa il signor Lundstrom?»chiese alzando la voce.

«Eh?» Diana riapparve e Caroline ripeté la domanda.

«È un banchiere.»

«Ha a che fare con questo nuovo affare di Shaun?»

«Altroché. Lo appoggia. È in questo paese proprio per mettere a punto gli ultimi dettagli.»

«Allora dovremo essere tutti molto affascinanti e ben educati.»

Alzandosi e lasciando cadere la vestaglia, Caroline si avviò nuda in cerca dei vestiti.

Diana sedeva sul bordo del letto. «È così faticoso? Caroline, sei terribilmente magra. Davvero troppo magra, dovresti cercare di mettere su un po' di peso.»

«Sto bene.» Scelse della biancheria da un cassetto traboccante e incominciò a indossarla. «Sono fatta così.»

«Sciocchezze. Ti si vedono tutte le costole. E mangi come un uccellino. L'ha notato persino Shaun l'altro giorno e sai com'è distratto di solito.»

Caroline si mise un paio di collant. «Hai un brutto colorito; sei pallidissima. L'ho notato poco fa, quando sono entrata. Forse dovresti incominciare a prendere del ferro.»

«Non fa annerire i denti?»

«Ma dove hai sentito quella vecchia storia da comari?»

«Forse c'entra con il fatto di sposarsi. Di dover scrivere centoquarantatré lettere di ringraziamento.»

«Non fare l'ingrata... oh, a proposito, ha telefonato Rose Kintyre, chiedendosi cosa desideravi come regalo. Le ho consigliato quei calici che hai visto in Sloane Square, sai, quelli con le iniziali incise. Che cosa hai intenzione di metterti stasera?»

Caroline aprì l'armadio e tirò giù il primo vestito che le venne fra le mani, per caso quello di velluto nero. «Questo?»

«Sì. Adoro quel vestito. Ma dovresti mettere calze scure.»

Caroline lo rimise a posto e tirò fuori il successivo. «Allora questo?» Il caffetano, fortunatamente non il completo pantaloni.

«Sì. Delizioso. Con orecchini d'oro.»

«I miei li ho persi.»

«Oh, *non* quelli che ti ha regalato Hugh.»

«Non li ho proprio persi, li ho solo messi nel posto sbagliato, e non mi ricordo dove. Non preoccuparti.» Si gettò sulla testa la seta turchese, soffice come la lanugine del cardo. «Gli orecchini su di me non fanno figura, comunque, a meno che i miei capelli non siano pettinati nel modo giusto.» Cominciò ad allacciare i minuscoli bottoni. «E Jody? Dove cenerà?» chiese.

«Con Katy, nel seminterrato; gli ho detto che poteva cenare con noi, ma lui vuole vedere il film western alla televisione.»

Caroline sciolse i capelli e li lisciò con la spazzola. «È là adesso?»

«Credo di sì.»

Caroline si spruzzò a caso con la prima bottiglia di profumo che le capitò sotto mano. «Se non ti dà fastidio» disse «prima scendo ad augurargli la buona notte.»

«Non metterci troppo. I Lundstrom saranno qui fra circa dieci minuti.»

«D'accordo.»

Andarono insieme di sotto. Mentre scendevano nell'ingresso, si aprì la porta del salotto e apparve Shaun Carpenter, reggendo un secchiello per il ghiaccio rosso a forma di mela con un picciolo dorato sul coperchio che prolugandosi formava un manico. Guardò in su e le vide.

«Non c'è ghiaccio» disse a mo' di spiegazione, poi, come un comico teatrale quando simula sorpresa in ritardo, fu distratto dalla loro comparsa e rimase fermo in mezzo all'ingresso a guardarle scendere.

«Siete bellissime! Due donne stupende.»

Shaun era il marito di Diana; riferendosi a lui, Caroline lo definiva talvolta il marito della mia matrigna, oppure lo chiamava il mio patrigno in seconda, o, semplicemente, Shaun.

Era sposato con Diana da tre anni, ma – come Shaun amava raccontare alla gente – la conosceva e la adorava da molto più tempo.

«L'ho conosciuta ai vecchi tempi» diceva. «Pensavo di aver sistemato per bene l'intera faccenda, poi lei partì per le isole greche per comprare un pezzo di terreno. La prima cosa che vengo a sapere da una sua lettera è che aveva incontrato e sposato quel tizio... quell'architetto – Gerald Cliburn. Senza un soldo, già con una famiglia e terribilmente anticonformista. È stato un fulmine a ciel sereno.»

Era tuttavia rimasto fedele al ricordo di lei e, poiché era per natura un uomo di successo, aveva interpretato con pari fortuna il ruolo dello scapolo di professione, dell'uomo maturo, sofisticato, molto richiesto dalle signore di Londra e sempre con un'agenda zeppa di impegni per mesi a venire.

In verità, la sua vita da scapolo era mirabilmente organizzata e piacevole, e quando Diana Cliburn, rimasta vedova e con due figliastri al seguito, era ritornata a Londra per trasferirsi ancora nella sua vecchia casa, riprendere i vecchi legami e incominciare una nuova vita, ci furono varie ipotesi su quello che Shaun Carpenter avrebbe fatto a quel punto. Che si fosse sistemato troppo profondamente nella sua comoda routine da scapolo? Avrebbe rinunciato – seppure per Diana – alla sua indipendenza per adattarsi alla vita monotona di un ordinario uomo di famiglia? I pettegoli non ne erano affatto certi.

Ma i pettegoli non avevano fatto i conti con Diana. Era ritornata da Aphros più bella e desiderabile che mai. Aveva allora trentadue anni ed era al culmine del suo fascino. Shaun, nel rinnovare con cautela la loro amicizia, era stato travolto nel giro di pochi giorni. Nell'arco di una settimana le aveva chiesto di sposarlo e si era ripetuto a intervalli regolari di sette giorni, finché lei alla fine aveva accettato.

La prima cosa che gli aveva fatto fare era stata di dare lui stesso la notizia a Caroline e a Jody. «Non posso farvi da padre» gli aveva detto, percorrendo a grandi passi la moquette del salotto e arrossendo attorno al colletto sotto i loro sguardi chiari e stranamente identici. «Non saprei nemmeno come comportarmi. Ma vorrei farvi capire che potete contare su di me per confidarvi ed eventualmente aiutarvi finanziariamente... dopo tutto, questa è casa vostra... e vorrei farvi capire...»

Aveva proceduto con esitazione, maledicendo Diana per averlo messo in quella situazione imbarazzante, e rimpiangendo che lei non avesse veramente lasciato perdere, permettendo al suo rapporto con Caroline e Jody di svilupparsi lentamente e con naturalezza. Ma Diana era impaziente per natura; amava le situazioni chiare e voleva definirle subito.

Jody e Caroline erano rimasti ad osservare Shaun, comprensivi, ma senza dire e fare nulla per aiutarlo.

A loro Shaun Carpenter piaceva, ma vedevano, con gli occhi acuti dei giovani, che Diana lo aveva in pugno. Aveva detto che Milton Gardens era la loro casa, mentre per loro la casa era, e lo sarebbe sempre stata, una bianca montagnetta a forma di pan di zucchero, a strapiombo sul blu del mare Egeo. Ma tutto se ne era andato, era affondato senza lasciar traccia nella confusione del passato. Quello che Diana sceglieva di fare, l'uomo che sceglieva di sposare, non erano affari loro. Se proprio doveva sposare qualcuno, erano contenti che fosse il grosso e gentile Shaun.

In quel momento, quando Caroline si mosse per oltrepassarlo, lui si fece da parte, solenne, inamidato e vagamente ridicolo con il secchiello del ghiaccio tenuto come un'offerta fra le mani. Gli aleggiavano intorno la fragranza del Brut e l'odore pulito di biancheria fresca; Caroline ricordò il mento spesso ispido di suo padre e le camicie da lavoro blu che gli piaceva indossare, prendendole direttamente dal filo del bucato senza nemmeno un tocco di ferro. Ricordò anche le lotte e le discussioni a cui si erano scherzosamente abbandonati lui e Diana – quasi sempre vinte da suo padre! – e si chiese ancora una volta come una donna potesse sposare due uomini talmente diversi.

Scendere nel seminterrato, nel regno di Katy, era come passare da un mondo all'altro. Di sopra c'erano moquette pastello, lampadari, pesanti tende di velluto. Di sotto, tutto era in disordine, spontaneo e allegro. Il linoleum a scacchi faceva a gara con i tappeti coloratissimi; le tende avevano un motivo di righe a zig-zag e foglie; ogni superficie orizzontale portava il suo carico di fotografie, portaceneri di ceramica provenienti da chissà quali località di mare e vasi di fiori di plastica. Un bel fuoco ardeva rosso nel caminetto e di fronte, raggomitolato in una poltrona malandata e con gli occhi incollati allo schermo tremolante della televisione, c'era Jody, il fratello di Caroline.

Indossava dei jeans e un maglione blu scuro a polo, stivaletti malandati e, senza una ragione particolare, un berretto da vela malconcio di parecchie misure più grande della sua testa. Alzò lo sguardo, quando lei entrò, poi ritornò immediatamente allo schermo. Non voleva perdere una sola inquadratura, un solo secondo dell'azione.

Spingendolo sul lato della poltrona, Caroline gli si sedette accanto. «Chi è la ragazza?» chiese dopo un po'.

«Oh, una stupida. Sempre pronta a farsi sbaciucchiare. Una di quelle.»

«Spegni allora.»

Ci pensò e, deciso che forse era una buona idea, si alzò dalla poltrona per spegnere lo schermo. La televisione tacque con un gemito fievole. Jody rimase in piedi sul tappeto davanti al camino, a guardarla.

Aveva undici anni, una bella età, non più bambino, ma non ancora alto, pelle e ossa, di cattivo umore e con i brufoli. I lineamenti erano così simili a quelli di Caroline che chi non li conosceva, vedendoli per la prima volta, capiva che non potevano essere altro che fratello e sorella, ma mentre Caroline era bionda, Jody aveva i capelli di un castano talmente brillante da sembrare quasi rosso, e mentre le lentiggini di lei si limitavano a un'infarinatura sul naso, quelle di Jody erano dappertutto, sparpagliate come confetti sulla schiena, sulle spalle e lungo le braccia. Gli occhi erano grigi. Il sorriso, riluttante, ma disarmante quando compariva, rivelava denti troppo grandi per il viso e un po' accavallati, come se lottassero per farsi spazio.

«Dov'è Katy?» chiese Caroline.

«Di sopra, in cucina.»

«Hai cenato?»

«Sì.»

«Quello che mangeremo noi?»

«Ho mangiato della minestra. Non ho voluto il resto, e allora Katy ha preparato uova e pancetta.»

«Almeno avessi potuto mangiare con te! Hai visto Shaun e Hugh?»

«Sì. Sono salito di sopra.» Fece una smorfia. «Vengono gli Haldane. Che sfortuna per te!»

Sorrisero con aria cospiratrice. La loro opinione sugli Haldane aveva una certa affinità. «Dove hai preso quel berretto?» chiese Caroline.

Si era dimenticato del berretto. A quel punto se lo tolse, con aria vergognosa. «L'ho appena trovato. Nel vecchio baule di vestiti nella stanza dei bambini.»

«Era di papà.»

«Sì. L'ho pensato anch'io.»

Caroline si protese a prenderglielo. Il berretto era sporco e spiegazzato, macchiato di sale, con lo stemma che incominciava a staccarsi dalla cucitura. «Lo portava sempre quando andava in barca. Diceva che gli dava sicurezza vestirsi nel modo giusto e che quando qualcuno lo insultava perché faceva le cose sbagliate, se la sentiva di rispondergli per le rime.» Jody sorrise. «Te lo ricordi quando parlava così?»

«Un po'» disse Jody. «Me lo ricordo quando leggeva Rikki Tikki Tavi.»

«Eri solo un bambino; avevi sei anni, ma te lo ricordi.» Lui sorrise di nuovo. Caroline si alzò e gli rimise in testa il vecchio berretto. La tesa gli nascondeva il volto, e lei dovette chinarsi per dargli un bacio.

«Buona notte» disse.

«Buona notte» disse Jody, senza muoversi.

Non aveva voglia di lasciarlo. Ai piedi delle scale si voltò. Lui la stava osservando con uno sguardo intento da sotto la tesa del ridicolo berretto; qualcosa nei suoi occhi le fece dire: «Che cosa c'è che non va?».

«Niente.»

«A domani, allora.»

«Sì» disse Jody. «Certo. Buona notte.»

Tornata di sopra, trovò chiusa la porta del salotto dalla quale proveniva un ronzio di voci, e Katy che metteva una pelliccia scura su un attaccapanni e la riponeva nell'armadio accanto alla porta d'ingresso. Katy, che indossava il vestito marrone e un grembiule a fiori, come concessione al carattere formale di una cena con invitati, sussultò teatralmente quando Caroline apparve di colpo.

«Che paura mi hai fatto!»

«Chi è arrivato?»

«Il signore e la signora Haldane.» Piegò la testa di scatto. «Adesso sono di là. Sbrigati! Sei in ritardo!»

«Ho appena visto Jody.» Con poca voglia di unirsi agli invitati, rimase con Katy, appoggiandosi alla base della balaustra. Come sarebbe stato bello ritornare di sopra, infilarsi a letto, farsi portare un uovo sodo!

«Sta guardando ancora quegli indiani?»

«No. Ha detto che c'erano troppi baci.»

Katy fece una smorfia. «Meglio guardare i baci che tutta quella violenza, dico io.» Chiuse la porta dell'armadio. «Tanto di guadagnato se i ragazzi si fanno domande sui baci invece di uscire a pestare le vecchiette con i loro stessi ombrelli.»

E con questa significativa osservazione se ne ritornò in cucina. Caroline, lasciata sola e senza più pretesti per attardarsi, attraversò l'ingresso, si costrinse a sorridere e aprì la porta del salotto. (Un'altra cosa che aveva imparato alla scuola di recitazione era come fare un'entrata.) Il ronzio delle chiacchiere si fermò e qualcuno disse: «Ecco Caroline».

Alla sera il salotto di Diana, illuminato per un ricevimento, era scenografico come il palcoscenico di un teatro. Intorno ai tre finestroni che davano su una piazza tranquilla pendevano tende di velluto verde mandorla pallido. C'erano enormi divani morbidi rosa e beige, una moquette beige, e, in perfetto accostamento con i quadri antichi, le vetrinette di noce, i mobili Chippendale e un tavolino moderno, italiano, in vetro e acciaio. C'erano fiori dappertutto, e l'aria era pervasa da una varietà di fragranze e aromi inebrianti e costosi: di giacinti, di Madame Rochas, dei sigari Avana di Shaun.

Erano in piedi, proprio come se li era immaginati, raccolti attorno al caminetto, con il bicchiere in mano. Ma ancor prima che lei si fosse chiusa la porta alle spalle, Hugh, staccandosi dal gruppo, aveva posato il bicchiere e attraversato la stanza per venirle incontro.

«Tesoro.» Le prese le spalle fra le mani e si chinò a baciarla. Poi lanciò un'occhiata all'orologio d'oro, molto piatto, che aveva al polso, mostrando nel farlo un ampio polsino bianco inamidato fermato da gemelli d'oro a forma di nodo. «Sei in ritardo.»

«I Lundstrom non sono ancora arrivati.»

«Dove sei stata?»
«Da Jody.»
«Allora sei perdonata.»
Era alto, molto più alto di Caroline, sottile, di carnagione scura, con un inizio di calvizie che lo faceva sembrare più vecchio della sua vera età, trentatré anni. Indossava uno smoking di velluto color blu notte e una camicia da sera ornata sobriamente da strisce di pizzo ricamato. Gli occhi, sotto le sopracciglia molto marcate, erano di un marrone scurissimo, con un'espressione che, in quell'attimo, era di divertimento, di esasperazione e di un bel po' di orgoglio.

Caroline percepì quell'orgoglio e si sentì sollevata. Essere all'altezza di Hugh Rashley richiedeva un certo sforzo, e Caroline trascorreva metà del tempo a lottare contro un senso di grande inadeguatezza. Per il resto, era perfetto come futuro marito, un uomo arrivato nella carriera di agente di borsa che si era scelto, meravigliosamente premuroso e attento, sebbene talvolta si prefiggesse di raggiungere livelli ad altezze non necessarie. Ma forse c'era da aspettarselo: era una caratteristica della sua famiglia e, dopo tutto, era il fratello di Diana.

Poiché Parker Haldane era impenitentemente attratto dalle donne giovani e carine, come Caroline, l'atteggiamento di Elaine Haldane verso Caroline era di solito freddo. Ciò non preoccupava eccessivamente Caroline: innanzi tutto, incontrava Elaine di rado, poiché gli Haldane abitavano a Parigi dove Parker era responsabile del settore francese di una grande agenzia pubblicitaria americana, e venivano a Londra solo per riunioni importanti, ogni due o tre mesi. Quella visita era appunto una di quelle occasioni.

Inoltre, Elaine non le piaceva particolarmente, il che era un peccato, poiché era grande amica di Diana. «Perché sei sempre così brusca con Elaine?» le chiedeva Diana, e Caroline aveva imparato a stringersi nelle spalle e a dire «Mi dispiace», poiché qualunque spiegazione più articolata avrebbe provocato una grave offesa.

Elaine era una bella donna distinta, con la tendenza ad agghindarsi in modo eccessivo, che nemmeno Parigi era riuscita a farle mutare. Sapeva anche essere divertente, ma Caroline aveva imparato, per amara esperienza, che tra le sue battute di spirito si annidavano crudeli frecce acuminate contro amici e conoscenti in quel momento assenti. Ascoltare Elaine la intimidiva perché non era sicura di che cosa avrebbe detto su di lei.

Parker, d'altra parte, non andava preso sul serio.

«Bellissima.» Si chinò per abbozzare un bacio, alla maniera europea, sul dorso della mano di Caroline. Lei quasi si attese che battesse i tacchi. «Perché ci fai sempre aspettare?»

«Ho augurato la buona notte a Jody.» Si voltò verso la moglie. «Buona sera, Elaine.» Si sfiorarono le guance, lanciando nell'aria un suono di baci.

«Ciao, cara. Che bel vestito!»

«Grazie.»

«È così facile portarli, quegli abiti ampi...» Inalò il fumo della sigaretta e ne espirò un'ampia nuvola. «Ho appena raccontato a Diana di Elizabeth.»

Caroline si sentì mancare, ma disse, educatamente: «Di Elizabeth?», aspettando di sentirsi spiegare che Elizabeth era fidanzata, che Elizabeth era stata ospite dell'Aga Khan, che Elizabeth era a New York a fare la modella per «Vogue». Elizabeth, la figlia che Elaine aveva avuto da un precedente matrimonio, era un po' più vecchia di Caroline, ma sebbene Caroline avesse talvolta l'impressione di conoscere più cose su Elizabeth che su di sé, non l'aveva mai incontrata. Elizabeth si alternava fra i genitori – la madre a Parigi e il padre in Scozia – e, nelle rare occasioni in cui compariva a Londra, Caroline era immancabilmente via.

Cercò ora di ricordare le ultime notizie su Elizabeth. «Non è stata nelle Indie occidentali, o qualcosa del genere?»

«Sì, mia cara, ospite di una vecchia compagna di scuola. Si è divertita un sacco. È ritornata a casa alcuni giorni fa e suo padre è andato a prenderla a Prestwick con quella terribile notizia.»

«Quale notizia?»

«Be', sai, dieci anni fa, quando io e Duncan eravamo ancora insieme, abbiamo comprato quella casa in Scozia... o meglio, Duncan l'ha comprata, nonostante la mia violenta opposizione. Per il nostro matrimonio è stata la goccia che ha fatto traboccare il vaso.» Si fermò, con un'espressione confusa sul viso.

«Elizabeth» le suggerì gentilmente Caroline.

«Oh sì. Dunque, per prima cosa Elizabeth ha fatto amicizia con i due ragazzi che vivevano nella proprietà confinante..., be', non esattamente dei ragazzi, erano già adulti, quando li abbiamo conosciuti, ma davvero deliziosi. Loro hanno preso Elizabeth sotto le loro ali proprio come una sorellina. In men che non si dica, lei andava e veniva da casa loro come se fosse vissuta lì tutta la vita. La adoravano, ma lei è sempre stata la coccolina soprattutto del maggiore e, mia cara, proprio prima che lei ritornasse, lui si è ammazzato in macchina in un incidente terribile. Davvero tremendo, con le strade ghiacciate la macchina è andata dritta contro un muro di pietra.»

Suo malgrado, Caroline ne fu veramente impressionata. «Che cosa terribile!»

«Tremenda. Solo ventotto anni. Aveva una splendida fattoria; era un tiratore provetto, davvero una persona cara. Puoi immaginarti che bel ritorno ha avuto la poverina! Mi ha telefonato in lacrime per dirmelo. Speravo di farla venire a Londra e di vederla qui, per tirarla su di morale, ma c'è bisogno di lei lassù, dice.»

«Sono sicura che suo padre sarà felice di averla lì...» Parker scelse quel momento per materializzarsi al fianco di Caroline, porgendole un Martini così freddo che quasi le congelò le dita. «Chi stiamo aspettando?» chiese.

«I Lundstrom. Sono canadesi. Lui è un banchiere di Montreal. Tutto per il nuovo progetto di Shaun.»

«Vuol dire che Diana e Shaun andranno a vivere a Montreal?» chiese Elaine. «Come faremo senza di loro? Diana, come faremo senza di te?»

«Quanto tempo staranno via?» chiese Parker.

«Tre, quattro anni. Forse meno. Partiranno appena possibile dopo il matrimonio.»

«E questa casa? Tu e Hugh avete intenzione di vivere qui?»

«È troppo grande. Hugh ha un suo appartamento che va benissimo. No, Katy starà nel seminterrato come una specie di custode; Diana pensava di affittarla, se trovasse l'inquilino giusto.»

«E Jody?»

Caroline lo fissò e poi abbassò lo sguardo sul suo drink.

«Jody andrà a vivere con loro.»
«Ti dispiace?»
«Sì, mi dispiace. Ma Diana lo vuole portare con sé.»
"E Hugh non vuol essere impacciato da un ragazzino. Non ancora, almeno. Un bambino, forse, fra alcuni anni, ma non un ragazzino di undici anni. Diana l'ha già iscritto a una scuola privata; Shaun dice che imparerà a sciare e a giocare a hockey su ghiaccio."

Parker la stava ancora guardando. Lei fece un sorriso forzato. «Tu conosci Diana, Parker. Fa dei programmi, e pam, si realizzano.»
«Jody ti mancherà, non è vero?»
«Sì, mi mancherà.»
Finalmente arrivarono i Lundstrom. Vennero presentati, fu offerto loro da bere e furono educatamente coinvolti nella conversazione. Caroline, fattasi da parte con la scusa di trovare una sigaretta e osservandoli incuriosita, pensò che si assomigliavano, come capita spesso alla gente sposata: tutti e due alti, angolosi, piuttosto sportivi. Se li immaginò che giocavano a golf insieme il fine settimana e che d'estate andavano in barca a vela, magari partecipando a gare sull'oceano. Il vestito della signora Lundstrom era semplice e i suoi brillanti spettacolosi; il signor Lundstrom aveva quell'aria insignificante che spesso nasconde il profilo di un uomo di sensazionale successo.
Le venne in mente un'idea repentina: sarebbe stato meraviglioso, quasi una boccata di aria fresca, se in quella casa fosse entrato un povero, un fallito, un amorale, o persino un ubriacone. Un artista magari, che faceva la fame in una soffitta. Un autore che

scriveva storie che nessuno comprava. O qualche perditempo con la barba lunga di tre giorni e una pancia sgraziata che sporgeva dalla cintura dei pantaloni. Pensò agli amici di suo padre, male assortiti e solitamente con una cattiva reputazione, che bevevano vino rosso o *retsina*[2] fino a notte fonda, dormivano dove si trovavano, sul divano malandato, o con i piedi appoggiati sul muretto della terrazza. E pensò alla casa di Aphros, di notte, dipinta dalla luce della luna a riquadri bianchi e neri, e sempre il rumore del mare.

«... stiamo andando di là a cena.»

Era Hugh. Doveva averglielo già detto ed era stato costretto a ripetersi. «Stai sognando, Caroline. Finisci il tuo drink; è ora di andare e di mangiare qualcosa.»

A tavola si trovò fra John Lundstrom e Shaun. Shaun era impegnato con la caraffa di vino e così, com'era naturale, lei incominciò a conversare con il signor Lundtsrom.

«È la sua prima visita in Inghilterra?»

«Oh no, niente affatto. Sono stato qui molte altre volte in precedenza.» Raddrizzò il coltello e la forchetta, aggrottando leggermente la fronte. «Dunque, non ho capito bene. Questa parentela, voglio dire. Lei è la figliastra di Diana?»

«Sì, esatto. Sto per sposare Hugh che è suo fratello. Molti hanno l'aria di pensare che sia praticamente illecito; in realtà non lo è. Non è proibito dal catechismo.»

«Non ho pensato neppure per un attimo che fosse illecito, anzi mi sembra ben fatto. Tutte le persone giuste nella stessa famiglia.»

[2] Vino aromatizzato con resina di pino. [*N.d.T.*]

«Non è un modo di pensare un po' ristretto?»

Levando lo sguardo, le sorrise. Sembrava più giovane, più allegro, e meno ricco, quando sorrideva. Più umano. Caroline provò simpatia per lui.

«Lo potrebbe chiamare pratico. Quando si sposerà?»

«Fra due martedì. Faccio fatica a crederci.»

«Andrete a trovare Shaun e Diana a Montreal?»

«Credo di sì, più avanti. Non proprio subito.»

«E poi c'è il ragazzino...»

«Sì. Jody, mio fratello.»

«Andrà a vivere con loro.»

«Sì.»

«Il Canada gli piacerà come a un'anatra piace l'acqua. È un gran posto per un ragazzo.»

«Sì» disse ancora Caroline.

«Ci siete solo voi due?»

«Oh no» disse Caroline. «C'è Angus.»

«Un altro fratello?»

«Sì. Ha quasi venticinque anni.»

«Che cosa fa?»

«Non lo sappiamo.»

John Lundstrom inarcò le sopracciglia, educato ma sorpreso. «È proprio così» spiegò Caroline. «Non sappiamo che cosa fa e non sappiamo dov'è. Vede, vivevamo a Aphros, nel mar Egeo. Mio padre era architetto, una specie di agente per quelli che volevano acquistare un terreno e costruire laggiù. È così che ha incontrato Diana.»

«Un momento. Vuol dire che Diana intendeva comprare del terreno?»

«Sì, per costruirci una casa. Ma non ha fatto né l'uno né l'altro. Ha incontrato mio padre, l'ha sposato ed è rimasta a Aphros con tutti noi a vivere nella casa che avevamo da sempre...»

«Ma siete ritornati a Londra.»

«Sì, mio padre è morto, vede; così Diana ci ha riportato qui con lei. Ma Angus disse che non sarebbe venuto. Aveva diciannove anni allora, i capelli lunghi fino alle spalle e neanche un paio di scarpe. Diana gli disse che, se voleva, poteva anche stare a Aphros. Angus le rispose di vendere pure la casa, perché lui aveva comprato una Mini Moke di seconda mano e stava per andare in macchina in India attraversando l'Afghanistan. Diana gli chiese che cosa aveva intenzione di fare una volta arrivato là, e Angus le rispose di voler trovare se stesso.»

«È uno dei tanti. Lo sa, non è vero?»

«Non rende la cosa più facile, quando si tratta del proprio fratello.»

«Non l'ha rivisto da allora?»

«Sì. Ritornò subito dopo il matrimonio di Shaun e Diana. Sa come vanno queste cose. Tutti pensavamo che avrebbe dovuto almeno mettersi un paio di scarpe, ma lui era il solito incorreggibile: ogni cosa che Diana suggeriva serviva a peggiorarlo. Così ritornò di nuovo in Afghanistan e da allora non abbiamo più avuto sue notizie.»

«Per niente?»

«Be'... una volta. Una cartolina illustrata da Kabul, o Srinigar o Teheran o qualche altro posto.» Sorrise, cercando di scherzarci sopra, ma prima che John Lundstrom pensasse a una risposta qualunque, Katy si piegò sopra la sua spalla per servirgli una scodella di zuppa di tartaruga. Interrotta la conversazione, lui voltò le spalle a Caroline e incominciò a parlare con Elaine.

La serata passò lentamente, formale, scontata e, per Caroline, noiosa. Dopo il caffè e il brandy, si radunarono tutti ancora in salotto. Gli uomini gravitarono in un angolo a parlare d'affari; le donne si raccolsero attorno al camino, scambiarono pettegolezzi, fecero programmi per il Canada, ammirarono l'arazzo a cui Diana stava lavorando.

Dopo un po', Hugh si staccò dal gruppo degli uomini per riempire il bicchiere di John Lundstrom. Ma, quando l'ebbe fatto, si accostò a Caroline, sedette sul bracciolo della sua sedia e le chiese: «Come stai?».

«Perché me lo chiedi?»

«Ti senti di andare all'Arabella?»

Caroline alzò lo sguardo su di lui. Dal fondo della poltrona il suo viso sembrava quasi capovolto. Appariva strano.

«Che ore sono?» chiese.

Lui diede un'occhiata all'orologio. «Le undici. Sei troppo stanca forse?»

Prima che potesse rispondere, Diana, che aveva per caso udito la conversazione, alzò gli occhi dall'arazzo e disse: «Andatevene, voi due».

«Dove vanno?» chiese Elaine.

«All'Arabella. È un piccolo club... Hugh ne è membro...»

«Interessante...» Elaine sorrise a Hugh, con l'aria di saper tutto sui night club interessanti. Hugh e Caroline, accomiatandosi, augurarono buona notte ai presenti e uscirono. Caroline salì di sopra a prendere un cappotto, sostò per pettinarsi. Alla porta di Jody si arrestò, ma poiché la luce era spenta e dall'interno non proveniva nessun suono, decise di non disturbarlo e di nuovo scese nell'ingresso dove l'attendeva Hugh. Le aprì la porta e insieme uscirono nell'oscurità soffice e ventosa, camminarono lungo il marciapiede fino a dove lui aveva posteggiato l'automobile; in macchina fecero il giro della piazza e si diressero in Kensington High Street. Caroline vide uno spicchio di luna solcato da nuvole sfilacciate spinte dal vento. Gli alberi nel parco protendevano verso l'alto i rami nudi; il bagliore arancione della città si rifletteva nel cielo. Abbassando il finestrino, perché l'aria fresca le soffiasse nei capelli, Caroline pensò che, in una notte del genere, sarebbe stato bello essere in campagna, camminare lungo strade buie, senza illuminazione, con il vento che sussurrava fra gli alberi e soltanto la bizzosa luna a mostrare la strada.

Sospirò. «Per quale ragione?» chiese Hugh.

«Per quale ragione che cosa?»

«Il sospiro. Sembrava una cosa tragica.»

«Non è niente.»

«Tutto bene?» chiese Hugh dopo un po'. «Sei preoccupata per qualcosa?»

«No.» Dopo tutto non c'era nulla di cui preoccuparsi. Niente, e tutto. Sentirsi sempre male era un motivo. Si chiedeva perché le fosse impossibile parlarne con Hugh. Forse perché lui era sempre in forma. Energico, attivo, pieno di forza e apparentemente mai stanco. In ogni modo, era noioso essere in cattiva salute e doppiamente noioso il parlarne.

Il silenzio fra loro aumentò. Alla fine, mentre aspettava che il semaforo da rosso diventasse verde, Hugh disse: «I Lundstrom sono deliziosi».

«Sì. Ho parlato al signor Lundstrom di Angus e mi ha ascoltato.»

«Che altro ti aspettavi che facesse?»

«Quello che fanno sempre tutti gli altri. Mostrarsi inorriditi o divertiti... o cambiare argomento. Diana detesta che si parli di Angus. Immagino che sia perché è stato il suo unico insuccesso.» Si corresse. «*È* il suo unico insuccesso.»

«Perché non è ritornato a Londra con tutti voi?»

«Sì, a imparare a fare il ragioniere o chissà quale altra professione programmata da Diana. Invece, ha fatto quello che voleva fare.»

«A costo di sentirmi dire che prendo le parti di Diana, io direi che anche tu hai fatto lo stesso. In barba a ogni opposizione sei andata alla scuola di recitazione e ti sei trovata perfino un lavoro...»

«Per sei mesi. Nient'altro.»

«Eri ammalata. Hai preso la polmonite. Non è stata colpa tua.»

«No. Ma mi sono ripresa, e se fossi stata meno incapace, sarei tornata per riprovarci. Ma non l'ho fatto, mi sono tirata indietro. Diana aveva sempre detto che non ero costante; così alla fine, inevitabilmente, ha avuto ragione lei. La sola cosa che non ha fatto è stata di dire: "Te l'avevo detto".»

«Se tu fossi ancora sul palcoscenico» disse Hugh con gentilezza «probabilmente non staresti per sposarmi.»

Caroline lanciò un'occhiata al suo profilo, illuminato in modo strano dalle luci stradali sovrastanti e dai riflessi del cruscotto. Sembrava cupo, vagamente malvagio.

«No. Immagino di no.»

Non era così semplice. Le ragioni per sposare Hugh erano innumerevoli e così intrecciate l'una all'altra che era difficile districarle. Ma la gratitudine sembrava la più importante. Hugh era entrato nella sua vita quando era ritornata da Aphros con Diana, una quindicenne sottile. Già allora, cupa e taciturna per l'infelicità, nel guardare Hugh che si dava da fare con i bagagli e i passaporti, nel vedere Jody stanco e in lacrime, aveva riconosciuto le sue qualità. Era proprio il parente maschio attendibile di cui aveva sempre avuto bisogno, ma che non aveva mai conosciuto. Era piacevole ricevere ordini e sentirsi accuditi; l'atteggiamento protettivo – non proprio da padre, ma certamente da zio – aveva resistito durante gli anni difficili della crescita.

Un'altra forza da tenere presente era la stessa Diana. Fin dall'inizio, sembrava aver deciso che Hugh e Caroline erano la coppia perfetta. Era attratta dal decoro di quella soluzione. Sottilmente, poiché era troppo astuta per indulgere in mosse ovvie, li aveva incoraggiati a stare insieme. "Ti può portare Hugh alla stazione. Tesoro, ci sarai per cena? Verrà Hugh e voglio che tu completi il numero."

Ma neppure quella pressione incessante sarebbe servita a nulla, se non fosse stato per la storia che Caroline aveva avuto con Drennan Colefield. Dopo quello... dopo aver amato in quel modo, a Caroline sembrava che niente potesse essere più come prima. Quando fu tutto finito e lei riuscì a guardarsi attorno senza che gli occhi le si riempissero di lacrime, aveva visto che Hugh era ancora lì. Ad aspettarla. Immutato... tranne che ora voleva sposarla e non sembrava esserci ragione al mondo per cui non accettare.

«Sei stata silenziosa per tutta la sera» le disse.

«Pensavo di parlare troppo.»

«Se qualcosa ti preoccupasse, me lo diresti?»

«Le cose succedono troppo alla svelta e c'è tanto

da fare. Incontrare i Lundstrom mi ha fatto sentire come se Jody fosse già in Canada e io non dovessi rivederlo più.»

Hugh tacque, prese una sigaretta e l'accese con l'apparecchio sul cruscotto. Rimesso a posto l'accendisigari, disse: «Sono quasi certo che soffri di depressione prematrimoniale, o come la chiamano sempre le riviste femminili».

«Provocata da che cosa?»

«Troppe cose a cui pensare; troppe lettere da scrivere; troppi regali da aprire. Abiti da provare, tende da scegliere, ristoratori e fioristi che bussano alla porta. Farebbe impazzire la ragazza più equilibrata.»

«Perché allora hai lasciato che ci trascinassero in questo matrimonio così sontuoso?»

«Perché siamo importanti per Diana; se fossimo andati di nascosto in un ufficio di stato civile e poi a Brighton per due giorni, l'avremmo privata di un piacere infinito.»

«Ma siamo persone, non vittime sacrificali.»

Le mise una mano sulle sue. «Coraggio. Presto arriverà martedì e poi sarà finita. Saremo in volo per le Bahamas e potrai stare sdraiata al sole tutto il giorno, non scrivere una sola lettera a nessuno e non mangiare altro che arance. Cosa te ne pare?»

«Se almeno andassimo a Aphros» rispose sapendo di essere infantile.

Hugh incominciava a spazientirsi. «Caroline, ne abbiamo discusso migliaia di volte, lo sai.»

Non lo ascoltava più; i suoi pensieri rimbalzarono a Aphros come un pesce preso all'amo. Ricordava gli orti di ulivi, gli alberi secolari immersi fra i papaveri sullo sfondo del mare azzurro. I campi di giacinti e i ciclamini rosa dal tenue profumo. Il suono delle campanelle dei greggi di capre e in montagna la fragranza calda di pino, ricca di resina.

«... e comunque, è stato tutto fissato.»

«Andremo a Aphros un giorno, Hugh?»

«Non hai ascoltato una sola delle mie parole.»

«Potremmo prendere in affitto una casetta.»

«No.»

«Noleggiare uno yacht.»

«No.»

«Perché non vuoi andarci?»

«Perché dovresti ricordare quel luogo com'era e non come forse è adesso, rovinato dai costruttori e dagli alberghi a grattacielo.»

«Non sai se è così.»

«Ne ho proprio il sospetto.»

«Ma...»

«No» disse Hugh.

Dopo una pausa, lei disse testarda: «Io voglio tornarci».

2

Quando finalmente tornarono a casa, l'orologio dell'ingresso suonava le due. I rintocchi echeggiarono solenni e vibranti, mentre Hugh metteva nella serratura la chiave di Caroline e spalancava la porta nera. All'interno la luce dell'ingresso era accesa, ma la scalinata era buia. C'era un gran silenzio; la cena era finita da un pezzo e tutti erano andati a letto.

«Buona notte» augurò volgendosi a Hugh.

«Buona notte, tesoro.» Si baciarono. «Quando ti rivedrò? Domani sarò fuori città... magari martedì?»

«Vieni a cena. Avvertirò Diana.»

«Sì.»

Sorrise, uscì, stava per chiudere la porta. Lei si ricordò di dire: «Grazie per la bella serata», prima che la porta scattasse e poi fu sola. Rimase in attesa ad ascoltare il rumore della macchina che si avviava.

Quando il suono del motore si fu dileguato, si voltò e cominciò a salire, un gradino alla volta, appoggiandosi al corrimano della balaustra. In cima alle scale, spense la luce dell'ingresso e percorse il corridoio fino alla sua stanza. Le tende erano chiuse, il letto preparato, la camicia da notte appoggiata in fondo al piumino. Liberandosi di scarpe, borsa, sciarpa e cappotto nell'avanzare sulla moquette, alla fine raggiunse il letto e ci si buttò sopra di traverso, senza curarsi dei possibili danni all'abito. Dopo un po' sollevò una mano e incominciò, lentamente, a slacciare i minuscoli bottoni, si tolse il caffetano e poi il resto. Indossò la camicia da notte: era fresca e leggera a contatto con la pelle. A piedi nudi andò in bagno, si lavò rapidamente la faccia e i denti. Si sentì meglio. Era ancora stanca, ma il cervello era attivo come uno scoiattolo in gabbia. Ritornò al tavolo da toilette, prese la spazzola, poi, di proposito, la depose, aprì l'ultimo cassetto della toilette e tirò fuori le lettere di Drennan, un mazzo ancora legato con un nastro rosso, e la fotografia di loro due che davano da mangiare ai piccioni in Trafalgar Square; i vecchi programmi teatrali, i menu e tutti i pezzetti di carta senza valore che lei aveva raccolto e conservato come cose preziose semplicemente perché erano l'unico modo tangibile di fissare i ricordi del tempo che avevano trascorso insieme.

"Eri ammalata" aveva detto Hugh quella sera, nel cercare delle giustificazioni per lei. "Avevi la polmonite."

Suonava così ovvio, così chiaro. Ma nessuno di loro, neppure Diana, aveva saputo di Drennan Colefield. Anche quando tutto era finito, e Diana e Caroline si erano trovate sole insieme a Antibes, dove l'aveva portata Diana per la convalescenza, Caroline non le aveva mai detto quello che era veramente successo, sebbene talvolta avesse desiderato il conforto delle solite frasi di rito. "Il tempo è il miglior medico. Ogni ragazza deve avere almeno una storia d'amore infelice nella vita. Potrai trovare mille uomini migliori di lui."

Mesi dopo, il suo nome era venuto fuori a colazione. Diana stava leggendo il giornale, la pagina degli spettacoli; alzò gli occhi e disse a Caroline, tra la luce del sole, la marmellata e l'odore di caffè: «Drennan Colefield non faceva parte della compagnia teatrale di Lunnbridge, quando c'eri tu?».

Caroline aveva appoggiato con molta attenzione la tazza di caffè e aveva detto: «Sì. Perché?».

«Qui dicono che farà la parte di Kirby Ashton nel film *Tira fuori la pistola*. Penso che sarà una parte piuttosto sostanziosa; il libro era tutto sesso, violenza e ragazze stupende.» Alzò gli occhi. «Era bravo? Come attore intendo?»

«Sì, immagino di sì.»

«C'è una sua foto con la moglie. Sapevi che ha sposato Michelle Tyler? Lui sembra davvero molto bello.»

Le aveva passato il giornale, ed eccolo, più magro di come se lo ricordasse Caroline e con i capelli più lunghi, ma ancora con quel sorriso, quella luce negli occhi, la sigaretta fra le dita.

«Che cosa fai stasera?» le aveva chiesto la prima volta che si erano incontrati. Lei, intenta a preparare i caffè nel camerino, era coperta di vernice perché stava lavorando allo scenario. «Niente» aveva risposto, e Drennan aveva detto: «Neanch'io. Facciamo qualcosa insieme?». Dopo quella sera il mondo era diventato un luogo incredibilmente bello. Ogni foglia di ogni albero era di colpo un miracolo. Il bambino che giocava a palla, il vecchio seduto su una panchina del parco erano pieni di un significato che lei non aveva mai compreso prima. La cittadina insignificante era trasformata; la gente che ci viveva sorrideva e aveva un'aria felice; il sole sembrava splendere sempre, più caldo e luminoso di quanto lo fosse mai stato prima. E tutto questo grazie a Drennan. «È amore» lui le aveva detto e dimostrato. «È così che deve essere.»

Ma non era mai più stato così. Ricordando Drennan e amandolo, sapendo che fra una settimana avrebbe sposato Hugh, Caroline incominciò a piangere. Senza singhiozzi o suoni scomposti, soltanto un diluvio di lacrime che le riempirono gli occhi e le solcarono le guance, incontrollate e silenziose.

Sarebbe potuta rimanere lì fino al mattino, a fissare la sua immagine nello specchio, annaspando nell'autocommiserazione e senza arrivare a nessuna conclusione significativa, se non fosse stata disturbata da Jody. Percorrendo senza far rumore il corridoio che divideva le loro stanze, il ragazzo bussò leggermente alla porta, poi, quando lei non rispose, l'aprì e fece capolino.

«Tutto bene?» chiese.

La sua apparizione inaspettata ebbe lo stesso effetto di una doccia fredda. Caroline fece immediatamente uno sforzo per ricomporsi, si asciugò le lacrime con il dorso della mano e prese la vestaglia per indossarla sopra la camicia da notte.

«Sì... certo... che cosa fai alzato?»

«Ero sveglio. Ti ho sentito entrare e aggirarti di qua e di là. Ho pensato che forse stavi male.» Si chiuse la porta alle spalle e le si avvicinò. Indossava un pigiama blu ed era a piedi nudi; i capelli rossi si drizzavano in un ciuffo sulla nuca.

«Perché piangevi?»

Sarebbe stato inutile dire: "Non piangevo". Caroline disse: «Per nessuna ragione», il che era altrettanto inutile.

«Non puoi dire così. Non è possibile piangere per niente.» Le si avvicinò, tenendo gli occhi all'altezza di quelli di lei. «Hai fame?»

Caroline sorrise e scosse la testa.

«Io sì. Pensavo di scendere di sotto a prendere qualcosa.»

«Fallo.»

Ma Jody rimase dov'era, a guardarsi intorno, in cerca di indizi su quello che aveva reso infelice lei. Il suo sguardo cadde sul mazzo di lettere, la fotografia. Tese la mano e la raccolse. «È Drennan Colefield. L'ho visto in *Tira fuori la pistola*. Ho dovuto farmi portare da Katy perché era vietato ai minori non accompagnati. Faceva la parte di Kirby Ashton. Era fantastico.» Alzò gli occhi su Caroline. «Lo conoscevi, non è vero?»

«Sì. Eravamo insieme a Lunnbridge.»

«Ora è sposato.»

«Lo so.»

«È per quello che piangevi?»

«Forse.»

«Lo conoscevi così bene?»

«Oh, Jody, è finito tanto tempo fa.»

«Allora perché ti fa piangere?»

«Sto solo facendo la sentimentale.»

«Ma tu...» Si inceppò tentando di usare la parola "amore". «Stai per sposare Hugh.»

«Lo so. Ecco quello che significa fare la sentimentale: piangere per qualcosa che è finito, terminato e concluso. Ed è una perdita di tempo.»

Jody la fissò con intensità. Dopo un po', deposta la fotografia di Drennan, disse: «Vado a cercare una fetta di torta. Ritornerò. Vuoi qualcosa?».

«No. Fa' piano. Non svegliare Diana.»

Lui scivolò via. Caroline mise via le lettere e la fotografia nel cassetto e lo chiuse con decisione. Poi andò a raccogliere i vestiti che si era tolta, appese il caffetano, mise la sagoma in legno nelle scarpe, piegò le altre cose e le depose su una sedia. Quando Jody fu di ritorno, con il suo spuntino su un vassoio, si era già spazzolata i capelli ed era seduta a letto, ad aspettarlo. Venne a sistemarsi accanto a lei, facendo posto per il vassoio sul comodino.

«Sai, ho un'idea» disse.

«Buona?»

«Penso di sì. Vedi, tu credi che mi lasci indifferente l'idea di andare in Canada con Diana e Shaun. Invece non è così. Non ho la minima voglia di andarmene. Farei di tutto piuttosto che andarmene.»

Caroline lo fissò. «Ma Jody, pensavo che tu desiderassi andare. Sembravi così entusiasta all'idea.»

«Volevo mostrarmi educato.»

«Per amor del cielo, non puoi pensare alle buone maniere quando è in ballo una faccenda come l'andare in Canada.»

«Sì che posso. Ma ora ti sto dicendo che non voglio andare.»

«Il Canada ti piacerà.»

«Come fai a sapere che mi piacerà? Non ci sei mai stata. E poi non voglio lasciare questa scuola, i miei amici e la squadra di calcio.»

Caroline era perplessa. «Perché non me l'hai detto prima? Perché me lo dici adesso?»

«Non te l'ho detto prima perché eri sempre impegnata con lettere, portatoast, veli e così via.»

«Ma mai troppo impegnata per te.»

Jody continuò come se lei non avesse mai parlato. «E te lo dico adesso perché, se non te lo dico adesso, sarà troppo tardi. Non ci sarà più tempo. Allora vuoi sentire il mio piano?»

«Non lo so. Qual è il tuo piano?» chiese, improvvisamente turbata.

«Credo che dovrei stare qui a Londra e non andare a Montreal... no, non stare qui con te e Hugh. Con Angus.»

«Angus?» Era quasi divertente. «Angus è a casa del diavolo. In Kashmir, Nepal, o da qualche altra parte. Se anche sapessimo come raggiungerlo, cosa che non sappiamo, non ritornerebbe mai a Londra.»

«Non è nel Kashmir o in Nepal» disse Jody, prendendo un grosso boccone di torta. «È in Scozia.»

Caroline lo fissò, chiedendosi se avesse sentito bene tra tutte quelle briciole di torta e le uvette. «Scozia?» Lui annuì. «Che cosa ti fa credere che sia in Scozia?»

«Non lo credo. Lo so. Mi ha scritto una lettera. L'ho ricevuta circa tre settimane fa. Sta lavorando allo Strathcorrie Arms Hotel, a Strathcorrie, nel Perthshire.»

«Ti ha scritto una lettera? E non me l'hai mai detto?»

Il volto di Jody si contrasse. «Ho pensato che fosse meglio di no.»

«Dov'è la lettera adesso?»

«Nella mia stanza.» Diede un altro irritante morso alla sua torta.

«Me la vuoi far vedere?»

«D'accordo.»

Scivolò fuori dal letto e sparì, per ritornare con la lettera in mano. «Ecco» disse e gliela diede, poi salì di nuovo sul letto e prese il suo latte. La busta era dozzinale, di colore giallastro, con l'indirizzo scritto a mano. «Molto anonima» disse Caroline.

«Lo so. L'ho trovata l'altro giorno, quando sono ritornato da scuola e ho pensato che fosse qualcuno che cercava di vendermi qualcosa. Sembra una cosa del genere, non è vero? Sai, quando fai delle ordinazioni per posta...»

Lei tolse la lettera dalla busta, un unico foglio di carta per posta aerea, che era stato ovviamente maneggiato molto e letto molte volte e che sembrava sul punto di andare a pezzi.

Strathcorrie Arms Hotel
Strathcorrie,
Perthshire

Mio caro Jody,
ecco un messaggio di quelli che bruci prima di leggere perché è segretissimo. Perciò non permettere che Diana ci metta addosso gli occhi, altrimenti sarò perduto.

Sono ritornato dall'India circa due mesi fa, sono finito quassù con un tizio che ho incontrato in Persia. Ora lui se n'è andato e io sono riuscito a trovare un lavoro all'albergo, pulisco gli stivali, riempio i secchi del carbone e le ceste della legna. Il posto è pieno di gente anziana che è qui a pescare. Quando non sono a pescare, se ne stanno seduti con l'aria di gente morta da sei mesi.

Sono stato a Londra per alcuni giorni dopo che la mia nave è approdata. Sarei voluto venire a vedere te e Caroline, ma avevo il terrore che Diana mi mettesse in recinto, mi imbrigliasse (con colletti inamidati), mi ferrasse (con scarpe di pelle nera) e mi strigliasse (tagliandomi i capelli). Poi sarebbe stata solo una questione di tempo prima che, domato e con i finimenti, diventassi un bel cavallo sicuro per una signora.

Manda a C. tutti i miei saluti più affettuosi. Dille che sto bene e sono felice. Ti farò sapere la prossima mossa.

Mi mancate tutti e due.

Angus

«Jody, perché non mi hai mostrato prima questa lettera?»

«Ho pensato che ti saresti sentita in dovere di mostrarla a Hugh e allora lui l'avrebbe detto a Diana.»

«Non sa che sto per sposarmi» commentò rileggendo la lettera.

«No, non credo che lo sappia.»

«Possiamo telefonargli.»

Ma Jody era di parere contrario. «Non c'è il numero telefonico. E qualcuno potrebbe sentire. In ogni caso telefonare non va bene, non si può vedere in faccia l'altra persona e si viene sempre interrotti.» Caroline sapeva che lui odiava il telefono, che ne aveva persino paura.

«Potremmo scrivergli una lettera.»

«Non risponde mai alle lettere.»

Era vero. Caroline si sentiva a disagio; Jody mirava a qualcosa, ma lei non sapeva cosa fosse. «E allora?»

Lui fece un respiro profondo. «Tu e io dobbiamo andare in Scozia e trovarlo. Spiegargli. Dirgli quello che sta succedendo.» Aggiunse, alzando la voce come se lei fosse un po' sorda: «Dirgli che non voglio andare in Canada con Diana e Shaun».

«Sai quello che risponderà, non è vero? Dirà che cosa diavolo c'entra lui.»

«Non penso che dirà così...»

Lei si vergognò. «D'accordo. Così noi andiamo in Scozia e troviamo Angus. E che cosa gli diciamo?»

«Che deve tornare a Londra a prendersi cura di me. Non può sottrarsi alle sue responsabilità per il resto della sua vita... è quanto dice sempre Diana. Io sono una responsablità. Ecco quello che sono, una responsabilità.»

«Come farebbe a prendersi cura di te?»

«Potremmo vivere in un appartamentino e lui potrebbe trovarsi un lavoro...»

«Angus?»

«Perché no? Lo fa altra gente. Si è sempre opposto per il semplice motivo che non vuole fare niente di quello che vuole Diana.»

Suo malgrado, Caroline dovette sorridere. «Devo dire che il ragionamento quadra.»

«Ma verrebbe se fosse per noi. Dice di sentire la nostra mancanza. Gli piacerebbe stare con noi.»

«Come ci arriveremmo in Scozia? Come potremmo andarcene di casa senza che Diana si accorga della nostra assenza? Sai che telefonerebbe a ogni aeroporto e stazione ferroviaria. E non possiamo prendere in prestito la sua macchina; saremmo fermati per strada dal primo poliziotto.»

«Lo so» disse Jody. «Ma ho pensato a tutto.» Finì il latte e le si avvicinò «Ho un piano.»

Fra un giorno o due sarebbe stato aprile, ma il pomeriggio nero cupo stava già affondando nell'oscurità. Anzi non c'era stata quasi luce per tutta la giornata. Sin dal mattino il cielo si era riempito di nuvole basse e plumbee che, di tanto in tanto, riversavano esigui spruzzi di pioggia ghiacciata. La campagna era altrettanto tetra. Ciò che si vedeva delle colline era scuro, coperto dall'ultima erba marrone dell'inverno. La neve rimasta dalla precedente nevicata copriva la maggior parte delle cime e giaceva profonda qui e là nelle conche e nelle fenditure senza sole, con l'aspetto di una glassa stesa male.

Tra le colline, lungo la valletta modellata dal serpeggiare del fiume soffiava un vento forte, gelido e implacabile, che proveniva direttamente dal nord, forse dall'Artico. Trascinava i rami spogli degli alberi, strappava le vecchie foglie secche dai fossi, per farle volare attorno, impazzite, nell'aria pungente; mandava un suono fra gli alti pini che era come il rombo lontano del mare.

Spazzava il cimitero accanto alla chiesa che non era riparato; le persone vestite a lutto se ne stavano raggruppate, curve per proteggersi dalle folate. La cotta inamidata del rettore sbatteva e si gonfiava come una vela issata male. Oliver Cairney, a capo scoperto, credeva di non aver più le guance e le orecchie e rimpiangeva di non aver avuto l'accortezza di indossare un secondo cappotto.

Era convinto di avere la testa in uno stato curioso, in parte confusa, in parte limpida come il cristallo. Le parole della funzione, che avrebbero dovuto avere un significato, le udiva a malapena, ma la sua attenzione era catturata e trattenuta dai petali giallo vivo di un gran mazzo di narcisi che in quel giorno tetro risplendevano come una candela in una stanza buia. Sebbene intorno a lui, appena al di là del suo campo visivo, quasi tutti i partecipanti al funerale fossero come ombre anonime, uno o due di loro avevano attratto la sua attenzione, come le figure in primo piano di un quadro: Cooper, innanzi tutto, il vecchio custode, con il suo miglior completo di tweed e con una cravatta di maglia nera; la mole confortante di Duncan Fraser, vicino dei Cairney; la ragazza, la ragazza sconosciuta, fuori posto in quella riunione familiare. Una ragazza bruna, snella e abbronzata, con un cappello di pelliccia nero calcato sulle orecchie e il viso seminascosto dietro un paio di enormi occhiali scuri. Piuttosto elegante. Inquietante. Chi era? Un'amica di Charles? Sembrava poco probabile...

Si scoprì a perdersi in inutili congetture, si riscosse e cercò una volta di più di concentrarsi su quanto stava succedendo. Ma il vento dispettoso, come se prendesse le parti del diavolo tentatore, si alzò, gemendo, in una raffica improvvisa, levò un turbine di foglie secche dal terreno ai suoi piedi e le fece volare. Turbato, girò la testa e si trovò a guardare in viso la ragazza sconosciuta. Si era tolta gli occhiali e lui vide con stupore che era Liz Fraser. Liz, incredibilmente elegante, in piedi accanto a suo padre. Per un attimo, i loro sguardi si incontrarono, poi lui si voltò con i pensieri in subbuglio. Liz, che non vedeva da oltre due anni. Liz, ormai una donna e per qualche motivo a Rossie Hill. Liz, che suo fratello aveva tanto adorato. Trovò il tempo di sentirsi grato verso di lei per essere venuta quel giorno. Per Charles sarebbe stato importantissimo.

Poi, finalmente, si giunse al termine. La gente incominciò ad andarsene, grata, lontano dal freddo, voltando le spalle alla tomba appena scavata e ai mucchi di fiori primaverili tremanti. Uscirono tutti dal cimitero due o tre alla volta, spinti dal vento, spazzati oltre il cancello come polvere davanti a una scopa.

Oliver si trovò fuori sul marciapiede, a stringere mani e a pronunciare suoni appropriati.

«È stato così gentile da parte sua venire. Sì... una tragedia...»

Vecchi amici, gente del paese, fattori che venivano dall'altra parte di Relkirk, molti dei quali Oliver non aveva mai visto prima. Gli amici di Charles. Si presentarono.

«È stato gentile da parte sua venire fin qui. Se ha tempo sulla via del ritorno, faccia un salto a Cairney. La signora Cooper ha preparato un gran tè...»

Ora c'era solo Duncan Fraser ad aspettare. Duncan, grosso e robusto, abbottonato nel cappotto nero e con una sciarpa di cachemire, i capelli grigi rizzati in una cresta a causa del vento. Oliver cercò Liz.

«È andata» disse Duncan. «È andata a casa da sola. Non è molto brava per queste cose.»

«Mi dispiace. Ma tu vieni a Cairney, Duncan? A bere un sorso per scaldarti?»

«Certo che vengo.»

Il rettore si materializzò al suo fianco. «Non vengo a Cairney, Oliver, grazie lo stesso. Mia moglie è a letto. Influenza, credo.» Si strinsero la mano, un ringraziamento silenzioso da una parte e condoglianze dall'altra. «Fammi sapere quello che deciderai di fare.»

«Glielo potrei dire adesso, ma richiederebbe troppo tempo.»

«Più tardi allora, c'è un sacco di tempo.»

Il vento gli gonfiò la tonaca. Le mani, che tenevano il libro di preghiere, erano gonfie e rosse per il freddo. "Come salsicce di carne" pensò Oliver. L'uomo si girò e si allontanò, su per il sentiero della chiesa, fra le lapidi inclinate, con la cotta bianca che sobbalzava nella giornata cupa. Oliver lo osservò finché non fu rientrato in chiesa e si ebbe chiuso il portone alle spalle, poi percorse il marciapiede fino a dove lo aspettava la sua macchina, solitaria. Entrò, chiuse la portiera e rimase a sedere, felice di starsene per conto suo e da solo. Ora che la tortura del funerale era terminata, era possibile accettare l'idea che Charles era morto. Avendola accettata, probabilmente a quel punto le cose sarebbero state più facili. Già Oliver si sentiva, anche se non proprio più felice, almeno calmo e pronto a rallegrarsi che tante persone fossero venute quel giorno, a rallegrarsi soprattutto che Liz fosse stata lì.

Dopo un po', frugando impacciato nella tasca del cappotto, trovò un pacchetto di sigarette, ne prese una e l'accese. Guardò la strada deserta e si disse che era ora di andare a casa; c'erano ancora gli ultimi piccoli obblighi sociali di cui occuparsi. La gente stava aspettando. Avviò la macchina, innestò la marcia e si immise sulla strada, dove i canaletti di scolo ghiacciati scricchiolarono sotto l'avanzare pesante delle gomme da neve.

Per le cinque l'ultimo ospite se ne era andato. O perlomeno il penultimo. La vecchia Bentley di Duncan Fraser era ancora accanto alla porta d'ingresso; del resto era difficile definire Duncan un ospite.

Dopo aver assistito alla partenza dell'ultima macchina, Oliver rientrò, chiuse sbattendo la porta d'ingresso e ritornò in biblioteca al conforto di un fuoco scoppiettante. In quel momento Lisa, la vecchia cagna Labrador, si alzò, attraversò la stanza e gli si accostò, poi, accorgendosi che colui che attendeva non era ancora arrivato, ritornò lentamente sul tappeto di fronte al camino e si accovacciò ancora. Era – era stata – il cane di Charles, e per qualche ragione la sua aria smarrita e abbandonata era la cosa più intollerabile.

Notò che Duncan, lasciato solo, aveva avvicinato una sedia alla fiamma e si era messo comodo. Il viso era arrossato, forse per il calore del fuoco, ma più verosimilmente per il riscaldamento procuratogli dai due grossi whisky che aveva già bevuto.

La stanza, sempre trasandata, mostrava traccia dei resti dell'eccellente tè della signora Cooper. C'erano briciole di torta alla frutta sparpagliate sulla tovaglia di damasco bianco distesa sul tavolo, che era stato spinto in fondo alla stanza. In giro c'erano tazze vuote, alternate a bicchieri che avevano contenuto qualcosa di un po' più forte del tè.

Quando Oliver apparve, Duncan alzò lo sguardo, sorrise, allungò le gambe e disse, con una voce ancora ricca delle inflessioni della nativa Glasgow: «Sarà ora che me ne vada». Non fece tuttavia alcun accenno ad andarsene, e Oliver, fermandosi al tavolo per tagliarsi una fetta di torta, disse: «Fermati ancora un po'». Non voleva rimanere solo. «Voglio sapere di Liz. Prendi qualcosa da bere.»

Duncan Fraser squadrò il bicchiere vuoto quasi a valutare la proposta. «Va bene» disse alla fine, come Oliver sapeva che avrebbe fatto. Lasciò che Oliver gli prendesse il bicchiere. «Magari proprio un goccetto. Ma tu non hai preso niente da bere. Se mi facessi compagnia, sarebbe meglio.»

«Sì, d'accordo.»

Portò il bicchiere al tavolo, ne trovò un secondo pulito, vi versò il whisky e aggiunse, non troppo abbondantemente, dell'acqua da una brocca. «Non l'ho riconosciuta, lo sai? Non riuscivo a capire chi fosse.» Riportò i bicchieri al camino.

«Sì, è cambiata.»

«È da molto con te?»

«Alcuni giorni. È stata nelle Indie occidentali con un'amica o qualcuno del genere. Sono andato a prenderla all'aereoporto a Prestwick. Non avevo intenzione di andare, ma, sai... ho pensato che sarebbe stato meglio se glielo avessi detto io di Charles.» Fece una smorfia. «Vedi, le donne sono strane, Oliver. È difficile sapere quello che pensano. Si tengono dentro le cose; sembra che abbiano paura di lasciarsi andare.»

«Ma oggi è venuta.»

«Oh sì, c'era. Per la prima volta Liz si trova ad affrontare il fatto che morire capita anche a chi si conosce, non solo ai nomi sui giornali e nelle colonne dei necrologi. Muoiono gli amici, gli innamorati. Forse domani o dopodomani verrà a trovarti... Non saprei dirtelo con sicurezza...»

«È stata l'unica ragazza che Charles abbia mai preso in considerazione. Lo sai , non è vero?»

«Sì. Lo sapevo. Persino quando era ragazzina...»

«Aspettava che crescesse.»

Duncan non rispose. Oliver trovò una sigaretta, l'accese, poi si lasciò cadere sul bordo di una sedia dall'altro lato del camino. Duncan lo osservò.

«Che cosa hai intenzione di fare adesso? Con Cairney voglio dire?»

«Vendere tutto» disse Oliver.

«Semplicemente questo?»

«Semplicemente questo. Non ho alternative.»

«È una vergogna lasciar andare un posto così.»

«Sì, ma io non vivo qui. Il mio lavoro e le mie radici sono a Londra. Non sono adatto a fare il possidente scozzese. Quello era il lavoro di Charles.»

«Cairney vuol dire qualcosa per te?»

«Certo. La casa dove sono cresciuto.»

«Sei sempre stato un tipo con le idee chiare. Come te la passi a Londra? È un posto che io non ho mai sopportato.»

«Mi piace moltissimo.»

«Guadagni?»

«Abbastanza per avere un appartamento decente e una macchina.»

Gli occhi di Duncan si strinsero. «E la tua vita sentimentale?»

Se glielo avesse domandato chiunque altro, Oliver gli avrebbe tirato addosso qualcosa per la sua sfacciata invadenza. Ma in quel caso era diverso."Vecchio furbacchione" pensò Oliver e gli rispose: «Mi soddisfa».

«Posso immaginarti in giro con un sacco di donne affascinanti...»

«Dal tono non riesco a dire se disapprovi o se sei soltanto invidioso...»

«Non ho mai capito» disse Duncan asciutto «come facesse Charles ad avere un fratello minore come te. Non hai mai pensato di sposarti?»

«Non mi sposerò fino a quando non sarò troppo vecchio per fare altro.»

Duncan fece una risatina sibilante. «Me la sono voluta. Ma torniamo a Cairney. Se intendi venderla, la venderai a me?»

«Preferirei venderla a te che a chiunque altro, lo sai.»

«Unirò il terreno al mio, con la brughiera e il lago. Rimane ancora la casa. Forse potresti venderla a parte. Dopo tutto, non è troppo grande né troppo lontana dalla strada, e il giardino può essere curato senza troppi inconvenienti.»

Era confortante sentirlo parlare così, formulare in termini pratici decisioni emotivamante coinvolgenti, ridimensionare i problemi di Oliver. Era fatto così

Duncan Fraser. Così si era costruito un patrimonio a un'età relativamente giovane, era riuscito a vendere a una cifra astronomica l'impresa di Londra, e aveva fatto quello che aveva sempre voluto fare: ritornare in Scozia, comprare della terra e condurre l'esistenza gradevole del gentiluomo di campagna.

Il coronamento di queste ambizioni aveva avuto il suo lato ironico: la moglie di Duncan, Elaine, che non era mai stata particolarmente bramosa di lasciare il nativo sud e di mettere radici nelle distese selvagge del Perthshire, si era presto annoiata del lento ritmo di vita a Rossie Hill. Sentiva la mancanza degli amici, e il clima la deprimeva. Gli inverni, si lamentava, erano lunghi, freddi e secchi. Le estati brevi, fredde e umide. Di conseguenza le sue scappate a Londra erano diventate più frequenti e più durature fino all'inevitabile giorno in cui aveva annunciato che non sarebbe più ritornata. Il matrimonio era naufragato.

Se ciò lo angosciava, Duncan riusciva a nasconderlo molto bene. Gli piaceva starsene con Liz e non si sentiva mai solo quando lei se ne andava a trovare la madre perché aveva un sacco di interessi. Quando era arrivato a Rossie Hill, la gente del luogo era stata scettica sulle sue capacità di fattore, ma lui si era dimostrato all'altezza – ora era accettato, era membro del club di Relkirk e giudice di pace. Oliver gli era molto affezionato.

«Fai apparire tutto così logico e facile; non sembra affatto di vendere la propria casa» disse Oliver.

«Ebbene, è così che vanno le cose.» L'uomo più anziano finì il drink con una sola, enorme sorsata, appoggiò il bicchiere sul tavolo e si alzò di scatto. «Pensaci, in ogni caso. Per quanto ti fermi quassù?»

«Ho due settimane di permesso.»
«Che ne dici di vederci mercoledì a Relkirk? Ti offrirò il pranzo e faremo due chiacchiere con gli avvocati. O sono troppo insistente?»
«Niente affatto. Prima si conclude, meglio è.»
«Bene, allora adesso me ne vado a casa.»
Si diresse verso la porta e immediatamente Lisa si alzò e, a distanza, li seguì fuori nell'ingresso gelido, con le unghie che ticchettavano sul parquet lucido.
Duncan girò il capo per lanciarle un'occhiata. «È triste un cane senza padrone.»
«È la cosa peggiore.»
Lisa osservò Oliver che aiutava Duncan a indossare il cappotto e poi li accompagnò tutti e due fuori, dove aspettava la vecchia Bentley nera. La serata, se possibile, era ancora più fredda, scurissima e spazzata dal vento. Sotto le scarpe, il vialetto pieno di pozzanghere gelate scricchiolava.
«Avremo altra neve» disse Duncan.
«Pare proprio di sì.»
«Hai qualche messaggio per Liz?»
«Dille di venirmi a trovare.»
«Lo farò. A mercoledì, allora, al club. Alle dodici e trenta.»
«Ci sarò.» Oliver chiuse la portiera. «Va' piano.»

Quando la macchina se ne fu andata, Oliver ritornò dentro con Lisa alle calcagna, chiuse la porta e rimase per un istante ad aspettare, catturato dalla straordinaria solitudine della casa. Ne era stato colpito in precedenza – ne era colpito a ondate sin da quando era arrivato da Londra due giorni prima. Si chiese se ci si sarebbe mai abituato.
L'ingresso era freddo e silenzioso. Lisa, preoccupa-

ta dall'immobilità di Oliver, gli premette il naso sulla mano e lui si chinò per accarezzarle la testa, avvolgendosi intorno alle dita le sue orecchie setose. Il vento soffiava; uno spiffero afferrò la tenda appesa alla porta d'ingresso e la fece ondeggiare, un drappo vorticoso di velluto. Oliver rabbrividì e ritornò in biblioteca, facendo capolino in cucina lungo il percorso. Subito dopo fu raggiunto dalla signora Cooper, con il vassoio. Insieme impilarono le tazze e i piattini, radunarono i bicchieri e sparecchiarono la tavola. La signora Cooper piegò la tovaglia di damasco inamidata, e Oliver l'aiutò a riportare il tavolo in mezzo alla stanza. Poi la seguì di nuovo in cucina, tenne aperta la porta così che lei potesse passare con il vassoio carico e la seguì con la teiera vuota in una mano e la bottiglia di whisky semivuota nell'altra.

Lei incominciò a lavare i piatti.«È stanca. Lasci stare» le disse.

Lei continuò, voltandogli la schiena. «Oh, no, non posso. Non ho mai lasciato una sola tazza sporca per il mattino.»

«Allora vada a casa, quando avrà finito di rassettare.»

«E la cena?»

«Sono sazio di torta di frutta. Non voglio cenare.» Rimase rigida e inflessibile, come se le fosse impossibile manifestare il dolore. Aveva adorato Charles. «Era buona la torta» disse Oliver e aggiunse:«Grazie».

La signora Cooper non si voltò. Dopo poco, quando fu evidente che non lo avrebbe fatto, Oliver uscì dalla cucina, tornò al fuoco della biblioteca e la lasciò sola.

3

Dietro la casa di Diana Carpenter, in Milton Gardens, c'era un giardino stretto e lungo retrostante a un vicolo con l'acciottolato. Tra il giardino e il vicolo c'erano un muro alto con un cancello e quello che una volta era stato un grande garage doppio. Ma quando era ritornata a Londra da Aphros, Diana aveva deciso che sarebbe stato un buon investimento trasformare il garage in una proprietà che rendesse e di conseguenza ci aveva costruito sopra un piccolo appartamento da affittare. Quella distrazione l'aveva tenuta felicemente occupata per oltre un anno e quando l'appartamento era stato ultimato, attrezzato e completamente rifinito, lei l'aveva affittato a una cifra molto elevata a un diplomatico americano, in trasferta a Londra per due anni. Era stato l'inquilino perfetto, ma quando era ritornato a Washington e lei aveva incominciato a guardarsi intorno per trovare qualcuno che lo sostituisse, non era stata altrettanto fortunata.

Dal passato, era infatti comparso Caleb Ash con Iris, la sua ragazza, due chitarre, un gatto siamese e senza un posto dove stare.

«Chi è» aveva chiesto Shaun «Caleb Ash?»

«Oh, era un amico di Gerald Cliburn a Aphros. Una di quelle persone sempre sul punto di fare qualcosa come scrivere un romanzo, dipingere un murale, mettersi in affari o costruire un albergo. Ma che non lo fanno mai. Caleb è l'uomo più pigro del mondo.»

«E la signora Ash?»

«Iris. Non sono sposati.»

«Non li vuoi nell'appartamento?»

«No.»

«Perché no?»

«Perché penso che avrebbero un effetto destabilizzante su Jody.»

«Si ricorderà di loro?»

«Certo. Andavano e venivano continuamente da casa nostra.»

«E a te lui non piaceva?»

«Non ho detto quello, Shaun. Caleb Ash non può fare a meno di piacere, ha un fascino incredibile. Ma non so, vivere in fondo al giardino in quel modo...»

«Possono pagare l'affitto?»

«Dice di sì.»

«Ridurranno il posto in un porcile?»

«Niente affatto. Iris ci tiene molto alla casa. È sempre intenta a lucidare pavimenti e a rimestare stufati in grandi pentole di rame.»

«Mi fai venire l'acquolina in bocca. Lascia che prendano l'appartamento. Sono amici dei vecchi tempi, non dovresti perdere tutti i tuoi legami e io non vedo come il fatto che lui sia là possa in alcun modo danneggiare Jody...»

E così Caleb, Iris, il gatto, le chitarre e le pentole avevano traslocato nello Stable Cottage. Diana gli aveva dato un pezzettino di terra per farne un giardino, Caleb l'aveva pavimentato, aveva piantato una camelia in un vaso, riuscendo così, dal niente, a creare una nostalgica atmosfera mediterranea.

Jody, come era naturale, lo adorava, ma sin dall'inizio era stato avvertito da Diana che doveva andare a trovare Caleb e Iris solo quando era invitato, altrimenti c'era il pericolo che diventasse uno scocciatore. Katy si era espressa energicamente contro Caleb, soprattutto quando, a causa delle dicerie locali, si era attaccata al fatto che Caleb e Iris non erano sposati né probabilmente lo sarebbero stati mai.

«Non starai andando in fondo al giardino a trovare di nuovo quel signor Ash, vero?»

«Me l'ha chiesto lui, Katy. Sicuramente la gatta ha avuto i gattini.»

«Altri siamesi?»

«A dire il vero non lo sono. Ha avuto una relazione con il soriano che vive al numero otto nel vicolo e sono una specie di misto. Caleb dice che rimarranno così.»

Katy si diede da fare con una teiera. Era seccata. «Be', io non lo so di certo.»

«Pensavo che avremmo potuto prenderne uno.»

«Non uno di quei fastidiosi cosini miagolanti! Ad ogni modo, la signora Carpenter non vuole animali in giro per casa. Lo ha detto e ridetto. Nessun animale. E un gatto è un animale, ecco tutto.»

Il mattino dopo la cena, Caroline e Jody Cliburn uscirono dalla porta che dava sul giardino, sul retro della casa, e percorsero il sentiero lastricato verso lo Stable Cottage. Non cercarono affatto di nascondersi. Diana era fuori e Katy in cucina – che dava sulla strada – a preparare il pranzo. Sapevano che Caleb era a casa poiché avevano telefonato per chiedere se potevano fargli visita e lui aveva detto che li avrebbe aspettati.

Il mattino era freddo, ventoso, luminosissimo. Il cielo blu si rifletteva nelle pozzanghere che si erano formate sul lastricato umido e il sole abbagliava. Era stato un lungo inverno e nelle aiuole nere i bulbi avevano gettato soltanto i primi germogli verdi. Tutto il resto era marrone, inaridito e apparentemente morto.

«L'anno scorso» disse Caroline «in questo periodo c'erano i crochi. Dappertutto.»

Ma nell'angolino di giardino di Caleb, più riparato e soleggiato, già ondeggiavano i narcisi nelle vaschette dipinte di verde, e ai piedi del mandorlo dalla corteccia scura nel mezzo del patio c'era un ciuffo di bucaneve.

Si accedeva all'appartamento da una scala esterna che saliva fino a un'ampia terrazza, molto simile al balcone di uno chalet svizzero. Caleb aveva udito le loro voci che si avvicinavano e, quando loro corsero su per i gradini, era già fuori sul balcone ad accoglierli, con le mani sulla ringhiera di legno e l'aria di un capitano di qualche caicco che dava il benvenuto a bordo agli ospiti.

Era vissuto per tanti anni a Aphros che i suoi lineamenti avevano assunto un aspetto decisamente greco, proprio come diventano simili i volti delle persone che sono sposate da lungo tempo. Gli occhi erano così infossati che era quasi impossibile indovinarne il colore, il volto era abbronzato, con molte rughe, il naso una prua sporgente, i capelli fitti, grigi e ricciuti. La voce era piena e profonda. A Caroline faceva sempre pensare al vino aspro, al pane appena sfornato e all'odore dell'aglio nell'insalata.

«Jody! Caroline!» Li abbracciò, stringendoli uno con ciascun braccio e li baciò entrambi con una mancanza di ritegno meravigliosamente greca. Nessuno baciava mai Jody, tranne Caroline, a volte. Diana, con il suo solito acume, aveva indovinato quanto lui odiasse farsi baciare. Ma con Caleb era diverso, un saluto rispettoso e pieno d'affetto, da uomo a uomo.

«Che piacevole sorpresa! Entrate. Ho messo su la caffettiera.»

Nei giorni del diplomatico americano l'appartamentino aveva avuto un'aria linda da New England, fresca e curata. Ora sotto l'inconfondibile influenza di Iris era semplice e pieno di colori; alle pareti c'erano tele senza cornice, una scultura mobile di vetro colorato pendeva dal soffitto, uno scialle greco era stato gettato sui tessuti di chintz scelti con cura da Diana. La stanza era molto calda e profumava di caffè.

«Dov'è Iris?»

«Fuori a far spese.» Avvicinò una sedia. «Sedetevi. Vi porto il caffè.»

Caroline si sedette. Jody seguì Caleb e poco dopo ritornarono, Jody reggendo un vassoio con tre tazze e la zuccheriera, e Caleb con la caffettiera. Fatto spazio su un tavolinetto di fronte al camino, vi si sedettero attorno.

«Non siete nei guai?» chiese Caleb con cautela. Aveva sempre paura di prendere Diana per il verso sbagliato.

«Oh no» disse Caroline automaticamente. Ma ripensandoci, si corresse. «O meglio, non proprio.»

«Raccontatemi» disse Caleb. E così Caroline gli raccontò. Della lettera di Angus, di Jody che non voleva andare in Canada, e delle idee che aveva per ritrovare suo fratello.

«Così abbiamo deciso di andare in Scozia. Domani. È martedì.»

Caleb disse: «Avete intenzione di dirlo a Diana?».

«Ci convincerebbe a rinunciare. Sai che lo farebbe. Ma le lasceremo una lettera.»

«E Hugh?»

«Anche Hugh mi convincerebbe a rinunciare.»

Caleb fece una smorfia. «Caroline, sposerai quell'uomo fra una settimana.»

«Lo sposerò.»

Caleb fece «hmm», come se stentasse a crederle. Guardò Jody, che gli sedeva accanto. «E tu? La scuola?»

«La scuola è finita venerdì. È vacanza.»

Caleb fece di nuovo «hmm». Caroline cominciò a preoccuparsi. «Caleb, non oserai dire che non approvi.»

«È naturale che non approvi. È un'idea folle. Se volete parlare con Angus perché non telefonate?»

«Jody non vuole. È troppo complicato spiegare una cosa del genere per telefono.»

«Non si possono convincere le persone per telefono» disse Jody.

Caleb fece un sorriso storto. «A tuo parere, sarà necessario fare opera di convincimento con Angus? Sono d'accordo con te. Stai per chiedergli di venire a Londra, metter su casa, cambiare stile di vita.»

Jody non gli diede retta. «Non possiamo telefonare» ripeté testardamente.

«E scrivere una lettera richiederebbe troppo tempo?»

Jody annuì.

«Un telegramma?»
Jody scosse la testa.
«Non sembra che ci siano alternative. Il che ci porta al punto successivo. Come avete intenzione di arrivare in Scozia?»
Caroline disse in tono che le sembrava convincente: «Questa è una delle ragioni, Caleb, per cui abbiamo voluto parlarne con te. Vedi, ci serve una macchina e non possiamo prendere quella di Diana. Ma se avessimo la tua macchinetta, il furgone Mini, se tu potessi farne a meno... tu e Iris? Voglio dire, non l'usate tanto e noi la terremo benissimo».
«La mia macchina? E che cosa dirò a Diana quando arriverà furibonda in fondo al giardino con una lunga fila di domande imbarazzanti?»
«Potresti dire che è via per essere revisionata. È solo una piccola bugia innocente.»
«È più di una bugia innocente, è tentare la Provvidenza. Quella macchina non è stata revisionata da quando l'ho comprata sette anni fa. E se si rompe?»
«Correremo questo rischio.»
«E i soldi?»
«Ne ho abbastanza.»
«Quando contate di ritornare?»
«Giovedì o venerdì. Con Angus.»
«Siete ottimisti. E se non verrà?»
«Affronteremo il problema quando ci si presenterà.»
Caleb si alzò, irrequieto e indeciso. Andò alla finestra a vedere se Iris stesse arrivando per aiutarlo a districarsi da quell'odioso dilemma. Ma di lei non c'era traccia. Si disse che quelli erano i figli del suo migliore amico. Sospirò. «Se accetto di aiutarvi e se vi presto la mia macchina, è solo perché, a mio pa-

rere, è ora che Angus si assuma qualche responsabilità.» Si voltò a guardarli in faccia. «Ma devo sapere dove andate. L'indirizzo. Quanto starete via...».

«Allo Strathcorrie Arms, a Strathcorrie. E se non saremo di ritorno entro venerdì, potrai dire a Diana dove siamo andati. Ma non prima.»

«D'accordo.» Caleb chinò la grossa testa come se stesse per infilarla in un cappio. «Questo è il patto.»

Composero un telegramma per Angus.

SAREMO A STRATHCORRIE MARTEDÌ SERA PER DISCUTERE PROGETTO IMPORTANTE CON TE. ABBRACCI. JODY E CAROLINE

Fatto questo, Jody scrisse la lettera che avrebbero lasciato per Diana.

Cara Diana,
ho ricevuto una lettera da Angus, che è in Scozia. Io e Caroline siamo andati a cercarlo. Cercheremo di essere a casa entro venerdì. Per favore non preoccuparti.

Ma la lettera per Hugh non fu così facile, e per più di un'ora Caroline si diede da fare per stenderla.

Carissimo Hugh,
come ti avrà detto Diana, Jody ha ricevuto una lettera di Angus. È tornato a casa dall'India per mare e ora lavora in Scozia. Tutti e due riteniamo importante vederlo prima che Jody vada in Canada; così, quando riceverai questa mia, noi saremo in viaggio per la Scozia. Speriamo di essere di ritorno a Londra venerdì.

Avrei voluto discutere la cosa con te ma tu ti saresti sentito in dovere di dirlo a Diana che allora ci avrebbe convinto a non andare e non l'avremmo mai visto. Ed è importante per noi informarlo di quello che sta per succedere...

So che è una cosa terribile andarsene così la settimana del nostro matrimonio, senza dirtelo. Ma se tutto andrà bene saremo a casa venerdì.

Con amore,

Caroline

Martedì mattina era già scesa la prima leggera nevicata, poi si era fermata, lasciando sul terreno macchie simili alle piume di una gallina. Il vento, tuttavia, non si era affatto calmato, il freddo era ancora rigidissimo e, dall'aspetto del cielo incombente di color giallastro, c'era d'aspettarsi un peggioramento del tempo.

Oliver Cairney decise con un'occhiata che era un giorno adatto per starsene a casa e cercare di riordinare alcune faccende di Charles. Si rivelò un lavoro straziante. Charles, efficiente e scrupoloso, aveva archiviato in modo ordinato ogni lettera e documento riguardante l'andamento della fattoria. Sistemare la proprietà si sarebbe rivelato più semplice di quanto avesse pensato.

Ma c'erano anche altre cose. Cose personali. Lettere e inviti, un passaporto scaduto, conti d'albergo e fotografie, la rubrica personale con gli indirizzi, il diario, la stilografica d'argento che aveva ricevuto per i ventun anni, un conto del sarto.

Oliver ricordò la voce di sua madre, che gli leggeva ad alta voce una poesia; Alice Duer Miller.

Che fai delle scarpe di una donna
quando la donna è morta?

Facendosi coraggio, stracciò le lettere, selezionò le fotografie, gettò via i monconi di ceralacca, i pezzetti di spago, una serratura rotta senza chiave, una bottiglia di inchiostro di china secco. Quando l'orologio suonò le undici, il cestino della carta straccia era stracolmo. Si alzò per raccogliere la spazzatura e trasportarla in cucina, quando udì sbattere la porta principale. Essendo per metà a vetri fece un rumore cavernoso che rimbombò fra le pareti rivestite di pannelli di legno dell'ingresso. Reggendo il cestino, uscì a vedere chi era e si trovò di fronte Liz Fraser che gli si avvicinava lungo il corridoio.

«Liz.»

Indossava i pantaloni, una pelliccia corta e lo stesso cappello nero che aveva il giorno prima, ben calcato sulle orecchie. Mentre Oliver l'osservava, lei se lo tolse e con l'altra mano si scompigliò i corti capelli neri. Era un gesto stranamente nervoso, indeciso, in contrasto con il suo aspetto curato. Il viso era roseo dal freddo e lei sorrideva. Era stupenda.

«Ciao, Oliver.»

Gli venne a fianco e si chinò sopra il mucchio di carta spiegazzata per baciarlo sulla guancia. «Se non vuoi vedermi, dimmelo e me ne vado di nuovo» disse.

«Chi ha detto che non volevo vederti?»

«Ho pensato che forse...»

«Senti, lascia stare i forse. Vieni che ti preparo una tazza di caffè. Ne ho bisogno anch'io e sono stufo di starmene da solo.»

Le fece strada in cucina, spingendo con il sedere la porta oscillante, lasciando che lei gli passasse davanti, con le sue lunghe gambe e il profumo fresco, di aria aperta, mescolato a Chanel n. 5. «Metti su il bollitore» le disse. «Vado a liberarmi di questa roba.»

Attraversata la cucina e superata la porta sul retro, uscì al freddo pungente, riuscì a rovesciare il carico del cestino nel bidone della spazzatura senza che ne volasse via troppo e ritornò riconoscente al tepore della cucina. Davanti all'acquaio Liz, che sembrava strana lì, riempiva il bollitore.

«Mio Dio, che freddo!» esclamò Oliver.

«Lo so, e dovrebbe essere la primavera. Sono venuta a piedi da Rossie Hill e ho pensato che sarei morta.» Portò il bollitore sulla stufa e, sollevato il pesante coperchio, lo sistemò sulla piastra. Rimase accanto alla stufa, girandosi per appoggiarsi contro il suo fianco caldo. Si guardarono attraverso la stanza. Poi parlarono allo stesso momento.

«Hai tagliato i capelli» disse Oliver.

«Mi dispiace per Charles» disse Liz.

Si fermarono entrambi, aspettando che continuasse l'altro. Poi Liz riprese con aria confusa: «Li ho tagliati così per nuotare. Sono stata da questa amica a Antigua».

«Volevo ringraziarti per essere venuta ieri.»

«Io... io non sono mai stata a un funerale in passato.»

Gli occhi truccati con l'eye-liner e il mascara nero divennero improvvisamente lucidi di lacrime non versate. Il taglio corto ed elegante dei capelli metteva in risalto la lunghezza del collo e la linea netta del mento deciso che Liz aveva ereditato da suo padre. Mentre Oliver l'osservava, lei incominciò a slacciare i bottoni della pelliccia: anche le sue mani erano abbronzate, con le unghie a forma di mandorla dipinte di un rosa molto pallido. Portava un grosso anello d'oro con sigillo e un gruppo di fini braccialetti d'oro sul polso sottile.

«Liz, sei cresciuta» le disse in modo goffo.
«Certo. Adesso ho ventidue anni. Te n'eri dimenticato?»
«Da quanto tempo non ti vedo?»
«Cinque anni? Almeno cinque anni.»
«Come è possibile?»
«Tu eri a Londra, io a Parigi, e ogni volta che tornavo a Rossie Hill, eri via.»
«Charles era qui.»
«Sì, Charles era qui.» Lei giocherellò con il coperchio del bollitore. «Se anche Charles ha notato il mio aspetto, non ha mai fatto commenti a riguardo.»
«L'ha notato, e come! Solo che non era bravo a esprimere quello che sentiva. Per Charles tu sei sempre stata perfetta. Persino quando avevi quindici anni, con le treccine e con i jeans che tiravano. Aspettava solo che crescessi.»
«Non riesco a credere che sia morto.»
«Nemmeno io, fino a ieri. Ma credo ora di averlo accettato.» Il bollitore incominciò a borbottare. Allontanandosi dalla stufa, Oliver andò a prendere le tazze, un barattolo di caffè istantaneo e una bottiglia di latte dal frigorifero. «Papà mi ha detto di Cairney» disse Liz.
«Intendi dire, del fatto di venderla?»
«Come puoi farlo, Oliver?»
«Perché non c'è altra scelta.»
«Persino la casa? Anche la casa sarà venduta?»
«Che cosa me ne farei della casa?»
«Potresti tenerla. Usarla per i fine settimana e le vacanze, tanto per tenere radici a Cairney.»
«Mi sembra un'assurdità.»
«Non proprio.» Dopo una breve esitazione, riprese d'impeto: «Quando sarai sposato e avrai bambini,

potrai portarli qui, e loro potranno fare tutte le cose divertenti che facevi tu. Correre come selvaggi, costruire case sul faggio, tenere i pony...».

«Chi ha detto che penso di sposarmi?»

«Papà mi ha raccontato quello che gli hai detto, cioè che non intendi sposarti fino a quando non sarai troppo vecchio per fare altro.»

«Tuo padre ti racconta troppe cose.»

«Che cosa vorresti dire?»

«L'ha sempre fatto. Ti ha viziato e ti ha rivelato tutti i suoi segreti. Eri una bimbetta viziata, lo sapevi?»

«Sono parole di guerra, Oliver» disse divertita.

«Non so come tu sia sopravvissuta. Una figlia unica con due genitori adoranti che non vivevano nemmeno insieme. E come se non fosse stato abbastanza, hai sempre avuto Charles, che ti viziava da morire.»

L'acqua bolliva e lui andò a prendere il bollitore. Liz mise di nuovo il coperchio sulla piastra bollente. «Ma tu non mi hai mai viziato, Oliver» disse.

«Avevo più giudizio.» Versò l'acqua nelle tazze.

«Non badavi mai a me. Mi dicevi sempre di levarmi dai piedi.»

«Quando eri una bambina, prima che diventassi così affascinante. A proposito, sai, non ti ho riconosciuto ieri. Soltanto quando ti sei tolta gli occhiali da sole, ho capito chi eri. È stata davvero una sorpresa.»

«Quel caffè è pronto?»

«Sì. Vieni a berlo prima che si raffreddi.»

Si sedettero, l'uno di fronte all'altro ai lati opposti del tavolo rustico della cucina. Liz teneva la tazza fra le mani, come se avesse ancora le dita fredde. La sua espressione era provocatoria.

«Stavamo parlando di matrimonio.»

«Io no.»
«Quanto ti fermerai a Cairney?»
«Fino a quando non sarà tutto concluso. E tu?»
Liz scrollò le spalle. «Dovrei essere al sud adesso. Mia madre e Parker sono a Londra per alcuni giorni per affari. L'ho chiamata quando sono ritornata da Prestwick... per dirle di Charles. Ha cercato di convincermi a tornare da loro, ma le ho spiegato che volevo partecipare al funerale.»
«Non mi hai ancora detto quanto ti fermerai a Rossie Hill.»
«Non ho nessun programma, Oliver.»
«Allora fermati per un po'.»
«Vuoi che lo faccia?»
«Sì.»
Queste parole che stabilivano un futuro comportamento servirono a dissipare la tensione che ancora restava fra loro. Rimasero seduti a parlare, non curandosi dell'ora. Fu solo quando la pendola dell'ingresso batté le dodici che Liz si distrasse. Guardò il suo orologio. «Santo cielo, è davvero questa l'ora? Devo andarmene.»
«Per quale ragione?»
«Per il pranzo. Ti ricordi di quello strano modo un po' all'antica di mettersi a tavola oppure te ne sei scordato?»
«Niente affatto.»
«Vieni con me adesso: potrai pranzare con mio padre e con me.»
«Ti darò un passaggio fino a casa, ma non mi fermerò per pranzo.»
«Perché no?»
«Ho già sprecato metà della mattina a fare pettegolezzi con te, e c'è un sacco da fare.»

«Allora per cena. Stasera?»

Ci pensò, poi per varie ragioni declinò l'invito. «Andrebbe bene domani?» Lei scrollò le spalle, disinvolta, l'epitome dell'arrendevolezza femminile. «Quando vuoi.»

«Domani andrebbe benissimo. Verso le otto?»

«Un po' prima se vuoi un drink.»

«Ok. Un po' prima. Adesso mettiti cappotto e cappello, ti porto a casa.»

La macchina era verde scuro, piccola, bassa e molto veloce. Liz gli si sedette accanto con le mani sprofondate nelle tasche del cappotto, fissando davanti a sé il tetro paesaggio scozzese, così consapevole della presenza fisica dell'uomo al suo fianco da provare quasi dolore.

Era cambiato, eppure non era cambiato. Era più vecchio. Sul volto c'erano rughe che non c'erano state prima e un'espressione in fondo agli occhi che le dava la sensazione di avventurarsi in una relazione con un perfetto sconosciuto. Ma era ancora Oliver, brusco, restio a impegnarsi, invulnerabile.

Per Liz esisteva soltanto Oliver. Charles era stato la scusa per frequentare Cairney, e Liz l'aveva spudoratamente usato come tale, perché lui aveva incoraggiato le sue visite costanti ed era sempre stato felice di vederla. Ma lei veniva per Oliver.

Charles era il tipo casalingo, lungo e magro, biondo rossiccio e con le lentiggini. Oliver era l'uomo affascinante. Charles aveva avuto tempo e pazienza con lei, goffa adolescente; il tempo di insegnarle a gettare la lenza, a servire a tennis; il tempo di assisterla durante le torture del suo primo ballo da adulta, di mostrarle come si ballano le danze scozzesi. E per tutto il tempo lei non aveva avuto occhi per nessuno se non per Oliver e aveva pregato in cuor suo che ballasse con lei.

Naturalmente non l'aveva fatto. C'era sempre qualche altra ragazza, questa o quella sconosciuta venuta dal sud. "L'ho incontrata all'università, a una festa, che stava da Tizio o da Caio." Negli anni ce n'erano state moltissime. Sulle ragazze di Oliver fiorivano battute, ma Liz non le trovava divertenti. Osservandole da lontano, le aveva odiate tutte, figurandosi le loro immagini di cera e trafiggendole con gli spilli, angosciata dai tormenti della gelosia adolescenziale.

Dopo la separazione dei suoi genitori, era stato Charles a scrivere a Liz, tenendola al corrente su quello che succedeva a Cairney e mantenendo i contatti con lei. Ma era la fotografia di Oliver ad accompagnarla dovunque, una minuscola istantanea tutta sciupata che aveva scattato e teneva nella tasca segreta del portafoglio.

In quel momento, seduta al suo fianco, provò a fissarlo, impercettibilmente, con la coda dell'occhio. Le mani di Oliver, appoggiate al volante rivestito di pelle, avevano dita lunghe, dalle unghie quadrate. C'era una cicatrice vicino al pollice e lei ricordò che si era lacerato la mano su una nuova recinzione di filo spinato. I suoi occhi risalirono con noncuranza lungo il braccio. Il bavero di montone era alzato attorno al collo, toccando i folti capelli neri. A quel punto lui avvertì il suo sguardo e voltò la testa per sorriderle, con gli occhi azzurri come i fiori di veronica sotto le sopracciglia scure.

«La prossima volta mi riconoscerai» le disse, ma Liz non rispose. Si ricordò di quando era arrivata in aereo a Prestwick; c'era suo padre ad aspettarla.

"Charles è morto." C'era stato un momento di terribile incredulità, come se le fosse venuto a mancare il terreno sotto i piedi e lei si fosse librata sull'orlo di una voragine. «Oliver?» aveva chiesto poi debolmente.

«Oliver è a Cairney. O dovrebbe esserci a quest'ora. Arriva in macchina oggi da Londra. Il funerale è lunedì...»

Oliver è a Cairney. Charles, il caro, gentile, paziente Charles, era morto, ma Oliver era vivo e Oliver era a Cairney. Dopo tutti quegli anni l'avrebbe rivisto... Nel ritornare a Rossie Hill, quel pensiero non le era mai uscito di mente. "Lo vedrò. Domani lo vedrò e dopodomani e anche il giorno successivo." Aveva chiamato la madre a Londra e le aveva detto di Charles, ma quando Elaine aveva cercato di convincerla a lasciarsi alle spalle tutta quella tristezza e raggiungerla, Liz si era rifiutata. La scusa era giunta a proposito.

«Devo restare. Papà... il funerale...» Ma per tutto il tempo era stata consapevole del fatto – e ne aveva gioito – che si fermava solo per Oliver.

Come per miracolo, aveva funzionato. L'aveva capito dal momento in cui Oliver, senza nessuna ragione apparente, si era voltato di colpo nel cimitero a guardarla dritto in faccia. Allora in quello sguardo aveva letto prima sorpresa, poi ammirazione. Oliver non era più in una posizione di superiorità. Ora erano alla pari. E... cosa triste, ma che rendeva tutto un bel po' più semplice... non c'era più Charles da tener presente. Il caro, irritante Charles, sempre lì come un vecchio cane decrepito che attendeva di essere portato a fare una passeggiata.

Fece correre la sua fantasia attiva e pratica; si permise il lusso di indulgere in una o due belle immagini del futuro. Funzionava tutto così bene da sembrare programmato. Un matrimonio a Cairney, forse, un piccolo matrimonio di campagna nella chiesa locale, solo con alcuni amici. Poi una luna di miele a...? Antigua sarebbe stata perfetta. Poi di nuovo a Londra – lui aveva già un appartamento a Londra, che sarebbe servito come base per la ricerca successiva di una casa. E, brillante idea, lei avrebbe convinto suo padre a darle la casa di Cairney come regalo di nozze e i suggerimenti casuali che aveva buttato lì a Oliver quella mattina dopo tutto si sarebbero realizzati. Vide loro due venire lì per qualche fine settimana, per trascorrerci le vacanze estive, per portarci i bambini, fare delle feste...

«Di colpo hai smesso di parlare» osservò Oliver.

Liz tornò alla realtà di botto, vide che erano già vicino a casa. La macchina sfrecciò su per il vialetto sotto i faggi. In alto, i rami nudi scricchiolavano nel vento crudele. Fecero una curva sulla ghiaia e si arrestarono di fronte al portone.

«Stavo pensando» disse Liz. «Solo pensando. Grazie per avermi portata a casa.»

«Grazie per essere venuta a tirarmi su il morale.»

«Vieni a cena domani sera? Mercoledì.»

«Non vedo l'ora.»

«A un quarto alle otto?»

«A un quarto alle otto.»

Si sorrisero, esprimendo entrambi piacere per l'appuntamento. Poi lui si protese per aprirle la portiera, e Liz, uscita dalla macchina, corse su per gli scalini ghiacciati fino al riparo del portico. Qui si voltò per salutarlo con la mano, ma Oliver era già partito. Si poteva scorgere solo il retro della macchina, che scompariva giù per il vialetto, di ritorno a Cairney.

Quella sera, mentre faceva il bagno, Liz fu interrotta da una telefonata da Londra. Avvolta in un asciugamano, andò a rispondere e udì la voce di sua madre all'altro capo del filo.

«Elizabeth?»

«Ciao, mamma.»

«Cara, come stai? Come va?»

«Bene. Perfettamente. Meravigliosamente.»

Quella risposta allegra non era ciò che Elaine si era aspettata. Sembrò perplessa. «Sei andata al funerale?»

«Oh sì, è stato terribile. Ne ho odiato ogni istante.»

«Allora perché non mi raggiungi... staremo qui ancora per alcuni giorni...»

«Non posso venire ancora...» Liz esitava. Di solito era chiusa come un'ostrica sui fatti suoi. Elaine si lamentava continuamente di non sapere mai che cosa stesse succedendo nella vita della sua unica figlia. Ma di colpo Liz si sentì espansiva. Era sopraffatta dall'eccitazione di quello che era successo quel giorno e di quello che sarebbe potuto succedere l'indomani, e capì che, se non avesse parlato di Oliver con qualcuno, sarebbe esplosa.

Finì la frase in uno scoppio di confidenza.

«... il fatto è che Oliver è qui per un po'. Viene a cena domani sera.»

«Oliver? Oliver Cairney?»

«Sì, certo, Oliver Cairney. Quale altro Oliver conosciamo?»

«Vuoi dire...? È per Oliver che...»

«Sì. Per Oliver...» Liz rise. «O mamma, non essere così ottusa.»

«Ho sempre pensato che fosse Ch...»

«Non lo era» disse Liz rapidamente.

«Che cosa ha da dire Oliver in tutto questo?»

«Non credo che sia proprio dispiaciuto.»

«Be', non lo so...» Elaine sembrava confusa. «È l'ultima cosa che mi sarei aspettata, ma se tu sei felice...»

«Oh lo sono. Sono felice. Credimi, non sono mai stata così felice.»

«Fammi sapere che cosa succede» disse sua madre debolmente.

«Lo farò.»

«E fammi sapere quando vieni qui...»

«Proabilmente verremo insieme» disse Liz, immaginandoselo già. «Forse verremo insieme in macchina.»

Alla fine sua madre riagganciò. Liz depose la cornetta, si strinse di più attorno l'asciugamano e ritornò in bagno. Oliver. Continuò a ripetere il suo nome. Rientrò nella vasca e aprì il rubinetto dell'acqua calda con il dito del piede. Oliver.

Guidare verso il nord era come guidare all'indietro nel tempo. La primavera era in ritardo dappertutto, ma a Londra almeno c'erano state alcune tracce di verde, un accenno di foglie sugli alberi del parco, le prime stelle dei crocus gialli nei prati. Sulle bancarelle fiorivano i narcisi e gli iris viola; nelle grandi vetrine erano esposti vestiti estivi molto allettanti, che facevano pensare a vacanze, crociere, cieli blu e sole.

Ma l'autostrada tagliava verso nord come un nastro attraverso una regione piatta che diventava progressivamente più grigia, fredda e desolata. Le strade erano umide e sporche. I camion che li superavano – e la vecchia macchina di Caleb era superata praticamente da tutto – gettavano spruzzi accecanti di fango marrone molle che copriva il parabrezza e costringeva i tergicristallo a un superlavoro. Come se non bastasse, nessuno dei finestrini sembrava chiudersi bene e il riscaldamento era difettoso oppure richiedeva qualche manovra segreta che né Jody né Caroline sapevano fare. Qualunque fosse la ragione, non funzionava.

Nonostante ciò, Jody era felicissimo. Leggeva la cartina, cantava, faceva conti complicati per calcolare la velocità media (tristemente bassa) e le miglia del percorso.

«Qui siamo a un terzo della strada. Qui a metà» e poi: «Ancora cinque miglia e saremo a Scotch Corner. Mi chiedo perché si chiama Scotch Corner quando non è nemmeno in Scozia».

«Forse perché la gente va a prendersi uno scotch.»

Jody lo trovò molto divertente. «Non siamo mai stati in Scozia, nessuno di noi. Chissà perché Angus è venuto in Scozia.»

«Quando lo troviamo, glielo chiediamo.»

«Sì» disse Jody allegramente, pensando a quando avrebbe visto Angus. Si chinò sul sedile posteriore a prendere lo zaino che avevano prudentemente riempito di cibo. Lo aprì e ci guardò dentro. «Che cosa ti andrebbe adesso? È rimasto un panino al prosciutto, una mela dall'aspetto piuttosto ammaccato e dei biscotti al cioccolato.»

«Sto bene. Non voglio niente.»

«Ti dispiace se mangio il panino al prosciutto?»

«Per niente.»

Dopo Scotch Corner presero la A 68 e la macchinetta macinò la strada lungo le brughiere desolate del Northumberland, attraverso Otterburn, fino a Carter Bar. La strada salì, svolgendosi in tornanti sul pendio scosceso. Poi arrivarono in cima all'ultima collina e attraversarono la pietra del confine: la Scozia si stendeva davanti a loro.

«Ci siamo» disse Jody con un tono di grande soddisfazione. Ma Caroline vide solo una distesa ondulata di terra grigia e in lontananza colline bianche di neve.

«Credi che nevicherà? Fa un freddo terribile» disse un po' preoccupata.

«Non in questo periodo dell'anno.»

«E quelle colline?»

«Sarà la neve rimasta dall'inverno. Non si è ancora sciolta.»

«Il cielo sembra assai scuro.»

Era vero. Jody aggrottò la fronte. «Ci sarebbero dei problemi se nevicasse?»

«Non lo so. Non abbiamo le gomme da neve e io non ho mai guidato con un vero tempaccio.»

«Andrà tutto bene» disse Jody dopo un po' e riprese la cartina. «Adesso la prossima tappa è Edimburgo.»

Quando vi giunsero, era quasi buio; la città, spazzata dal vento, era ornata dalle luci di lampioni. Inevitabilmente si persero, ma alla fine trovarono il senso unico giusto e si diressero sull'autostrada verso il ponte. Si fermarono, per l'ultima volta, per la benzina e l'olio. Caroline uscì dalla macchina per sgranchirsi le gambe, mentre il benzinaio controllava l'acqua e poi attaccava il parabrezza sporco con una spugna umida. Nel farlo, osservò con un certo interesse la macchinetta malconcia, molto sfruttata, poi rivolse l'attenzione ai suoi passeggeri.

«Venite da lontano?»

«Da Londra.»

«Proseguite?»

«Andiamo a Strathcorrie, nel Perthshire.»

«Avete molta strada da fare.»

«Sì, lo sappiamo.»

«Andate incontro al brutto tempo.» A Jody piacque come aveva detto brutto. Brrrutto. Si esercitò a dirlo sottovoce.

«Davvero?»

«Sì. Ho appena sentito le previsioni del tempo. Ancora neve. State attenti. Le vostre gomme...» le prese a calci con la punta dello stivale «le vostre gomme non sono molto in buono stato.»

«Andrà tutto bene.»

«Se rimanete bloccati nella neve, ricordate la regola d'oro. Non uscite dalla macchina.»

«Ce ne ricorderemo.»

Lo pagarono, lo ringraziarono e si misero ancora una volta in viaggio. Il benzinaio li guardò andare via, scuotendo la testa davanti all'incoscienza degli inglesi.

Con i segnali luminosi che lampeggiavano il Forth Bridge sorse davanti a loro. RALLENTARE. FORTI RAFFICHE DI VENTO. Pagarono il pedaggio, si avviarono e percorsero il ponte, scosso e battuto dal vento. All'altra estremità, l'autostrada si dirigeva verso nord, ma era così buio e brutto che, al di là della debole lama di luce dei fari, non vedevano niente.

«Che peccato!» disse Jody. «Siamo in Scozia e

non riusciamo a vedere niente. Nemmeno un *haggis*.[1]»

Ma Caroline non riuscì nemmeno a tirar fuori una risata. Aveva freddo, era stanca e in ansia per il tempo e la minaccia di neve. Improvvisamente l'avventura non era più un'avventura, ma un gesto assai sventato.

La neve incominciò a cadere, quando si lasciarono alle spalle Relkirk. Si gettò contro di loro, sospinta dal vento, uscendo dall'oscurità in lunghe strisce di un bianco accecante.

«È come il *flak*» disse Jody.

«Come che cosa?»

«*Flak*. Fuoco contraereo. Nei film di guerra. Ecco che cosa sembra.»

All'inizio la neve non si attaccò alla carreggiata, ma più tardi, mentre risalivano le colline, divenne piuttosto alta, raccogliendosi nei fossi e sugli argini della strada e formando grandi mucchi a forma di cuscino sotto l'azione del vento. Si appiccicò al parabrezza, accumulandosi sotto i tergicristallo, finché questi smisero di funzionare del tutto. Caroline fu costretta a fermare la macchina, Jody uscì e con un vecchio guanto tolse la neve dal vetro. Ritornò in macchina bagnato e tremante.

«Mi è entrata nelle scarpe. Sto gelando.»

Proseguirono ancora. «Quante miglia mancano?» La bocca era secca per la paura, le dita strette al volante. Sembrava di essere in una zona disabitata. Non si vedeva una luce, non un'altra macchina, nemmeno un'impronta sulla strada.

[1] *Haggis*: piatto tipico scozzese a base di frattaglie. [*N.d.T.*]

Jody accese la pila e studiò la cartina. «Circa otto, direi. Strathcorrie è a circa otto miglia.»

«Che ore sono?»

Guardò l'orologio. «Le dieci e mezzo.»

Poco dopo raggiunsero la cima di una piccola altura, e la strada incominciò a scendere, stretta fra gli alti argini. Caroline scalò la marcia e poiché acquistavano velocità, frenò piano, ma non piano abbastanza, e la macchina si mise a slittare. Per un terribile istante capì di aver perso il controllo. Un argine si alzò davanti a loro, poi le ruote anteriori urtarono contro un mucchio di neve e la macchina si fermò. Caroline riaccese trepidante il motore, riuscì a far uscire le ruote dal mucchio di neve e a riportare la macchina a marcia indietro sulla strada. Continuarono a una velocità da lumache.

«È pericoloso?» chiese Jody.

«Sì, penso di sì. Se soltanto avessimo le gomme da neve!»

«Caleb non avrebbe le gomme da neve, nemmeno se vivesse al Polo Nord.»

Si trovavano ora in una valletta profonda, bordata di alberi e che correva lungo una gola ripida. Da lì proveniva il rumore di un fiume, lo scroscio e il tonfo dell'acqua superavano il rumore del vento. Giunsero a un ponte a schiena d'asino, cieco e ripidissimo; per il timore di bloccarsi lì sopra, Caroline lo imboccò con una lieve accelerata, ma vide poi, troppo tardi, che al di là la strada faceva una brusca svolta a destra. Davanti c'erano cumuli di neve e la faccia inespressiva di un muro di pietra.

Sentì Jody ansimare. Girò il volante, ma era troppo tardi. La macchinetta, dotata di colpo di una propria volontà, si diresse in pieno verso il muro e poi si tuffò con il muso in avanti in un fosso profondo colmo di neve. Il motore si bloccò all'istante e loro si ritrovarono inclinati di quarantacinque gradi con le ruote posteriori ancora sulla strada e i fari e il radiatore seppelliti profondamente nella neve.

Faceva buio senza fari. Caroline stese una mano per spegnerli e poi spense il motorino d'avviamento. Stava tremando. Si voltò verso Jody. «Stai bene?»

«Ho battuto un po' la testa, tutto qui.»

«Mi dispiace.»

«Non potevi evitarlo.»

«Forse ci saremmo dovuti fermare prima. Forse saremmo dovuti restare a Relkirk.»

Jody scrutò l'oscurità vorticosa. «Sai, credo che sia una tormenta. Non mi sono mai trovato in una tormenta. Il benzinaio ha detto di rimanere in macchina» disse coraggiosamente.

«Non possiamo. Fa troppo freddo. Aspetta qui, do un'occhiata.»

«Non perderti.»

«Dammi la pila.»

Si allacciò il cappotto e uscì cautamente dalla macchina, piombando fino al ginocchio in un mucchio di neve e poi arrampicandosi fino a raggiungere la superficie solida della strada. Nevicava e faceva un freddo terribile; malgrado la luce della pila, la neve l'accecava, confondendola. Sarebbe stato facile perdere l'orientamento.

Fece alcuni passi lungo la strada, illuminando con la pila il muro di pietra che si era rivelato la loro rovina. Continuava per circa dieci metri e poi si curvava all'interno a formare una specie di entrata. Caroline lo seguì e giunse a un varco con un cancello di legno, aperto. C'era un cartello. Aguzzando gli occhi tra la neve rivolse il fascio di luce della pila verso l'alto e lesse, a fatica, CAIRNEY HOUSE, PROPRIETÀ PRIVATA.

Spense la pila e fissò l'oscurità oltre il cancello. Sembrava esserci un viale alberato; sentiva in alto il rombo del vento fra i rami spogli; poi nel vortice dei fiocchi di neve, scorse in lontananza una luce isolata.

Si voltò e ritornò di corsa, incespicando, da Jody. Spalancò la portiera della macchina. «Siamo fortunati.»

«Perché?»

«Questo muro è di una proprietà, una fattoria o qualcosa del genere. C'è una specie di entrata, un cancello e un vialetto. E si vede una luce. Non può essere a più di mezzo miglio.»

«Il benzinaio ha detto di restare in macchina.»

«Se lo faremo, moriremo assiderati. Forza, la neve è fitta, ma possiamo farcela. Non dovrebbe essere una camminata troppo lunga. Lascia lo zaino, prendi solo le nostre borse. E allacciati la giacca. Fa freddo e ci bagneremo.»

Jody fece come gli era stato detto, faticando per uscire dalla macchina stranamente inclinata. Lei sapeva che la cosa importante era non perdere tempo. Con indosso abiti adatti alla primavera londinese, non erano, né l'uno né l'altra, preparati per quelle temperature polari. Entrambi indossavano jeans e scarpe leggere; Caroline aveva una giacca scamosciata e una sciarpa di cotone da legare attorno alla testa, ma la giacca a vento blu di Jody era tristemente inadatta e lui era a capo scoperto.

«Vuoi la sciarpa per la testa?» Le parole le vennero strappate di bocca dal vento.

«Neanche per sogno» rispose furioso.

«Riesci a portare la borsa?»
«Sì, certo.»
Lei chiuse la portiera. Sulla macchina si era già accumulato uno strato considerevole di neve, la sua sagoma non si distingueva chiaramente: presto sarebbe stata completamente seppellita.
«Ci andrà contro qualcuno?» chiese Jody.
«Non credo. Comunque non possiamo fare niente. Se lasciassimo le luci accese, la neve le coprirebbe.» Gli prese la mano. «Ora vieni. Non parliamo; facciamo alla svelta.»
Lo condusse verso il cancello, seguendo la linea ondeggiante delle sue stesse impronte.
Al di là dell'inferriata l'oscurità si stendeva a formare un tunnel nero scintillante di neve. Ma la luce era ancora lì, come una capocchia di spillo, niente più. Parecchio avanti. Mano nella mano, con il capo piegato per proteggersi dal vento, si incamminarono in quella direzione.

Era una situazione spaventosa. Tutti gli elementi erano contro di loro. In pochi attimi furono entrambi inzuppati fino all'osso e raggelati. Le borse con gli indumenti per la notte che erano sembrate così leggere si facevano sempre più pesanti a ogni passo. La neve scendeva a cascata su di loro madida, pesante, appiccicosa come colla. In alto, al di sopra della neve, i rami inarcati degli alberi nudi gemevano e scricchiolavano in modo minaccioso, scorticati dal vento. Ogni tanto si udiva il rumore di un ramo che si spezzava, seguito dallo schianto e dalle schegge della sua caduta.
Jody stava cercando di dire qualcosa. «Spero...» Aveva le labbra gelate, i denti che battevano, ma lot-

tava per tirar fuori le parole. «Spero che non ci cada addosso un albero.»

«Anch'io.»

«La mia giacca avrebbe dovuto essere impermeabile!» La voce era risentita. «Sono tutto bagnato.»

«È una tormenta, Jody, non un acquazzone.»

La luce splendeva ancora, forse un po' più brillante e un po' più vicina, ma a quel punto a Caroline sembrava che stessero camminando da una vita. Era come un viaggio senza fine in un incubo con quella luce fluttuante che danzava davanti a loro, sempre irraggiungibile. Cominciava a perdere la speranza di arrivare da qualche parte, quando a un tratto l'oscurità si fece un po' meno fitta, lo scricchiolio dei rami rimase alle loro spalle e lei si accorse che avevano raggiunto la fine del viale. A quel punto la luce sparì, dietro la sagoma confusa di quello che era probabilmente un gruppo di rododendri. Ma, mentre si facevano strada per aggirarlo, la luce riapparve ancora, questa volta piuttosto vicina. Avanzarono e incespicarono sul bordo di un'aiuola. Jody quasi cadde e Caroline lo rimise in piedi.

«Tutto bene. Siamo su un prato, o sull'erba. Forse in un giardino.»

«Andiamo avanti» disse Jody. Fu tutto quello che riuscì a dire.

Ora la luce prese forma, risplendendo da una finestra senza tende del piano superiore. Stavano attraversando uno spiazzo aperto in direzione di una casa. Sorgeva davanti a loro, con la sagoma alterata dai contorni informi della neve, ma riuscirono a distinguere altre luci, il tenue chiarore dietro le tende ben chiuse delle stanze del pianterreno.

«È una grande casa» sussurrò Jody.

Era vero. «Ci sarà spazio per noi» disse Caroline, ma non capì se Jody avesse sentito. Gli lasciò andare la mano e cercò a tastoni la pila nella tasca, con le dita ghiacciate. L'accese, e il debole raggio individuò una scalinata di pietra, ricoperta di neve, che conduceva agli scuri anfratti di un portico quadrato. Salirono gli scalini e si trovarono al coperto, al riparo dalla neve. Il raggio della torcia fluttuò sopra i pannelli della porta e individuò il lungo cordone di un campanello, in ferro battuto. Caroline depose la borsa e si protese a tirarlo. Era rigido e pesante e non riuscì a smuoverlo. Riprovò, mettendo un po' più di energia nel tentativo e questa volta un campanello suonò, distante, cupo, sul retro della casa.

«Funziona.» Si voltò verso Jody; inavvertitamente il raggio della torcia lo colse in viso e lei vide che era terreo per il freddo, con i capelli incollati alla testa, i denti che battevano. Spense la pila, lo cinse con un braccio e lo strinse a sé. «Andrà tutto bene.»

«Lo spero» disse Jody con una voce chiara che tremava dallo spavento. «Spero che non arrivi un orribile maggiordomo, come nei film del terrore, a dire "Ha suonato, signore?".»

Lo sperava anche Caroline. Stava per suonare di nuovo il campanello quando udì i passi. Un cane abbaiò e una voce profonda gli disse di smetterla. Alcune luci apparvero alle finestre ai lati del portone; i passi si avvicinarono. Un attimo dopo la porta si spalancò e sulla soglia comparve un uomo con un Labrador giallo, dal pelo ritto, ai suoi piedi.

«Lisa, sta' buona» disse al cane, poi alzò gli occhi. «Sì?»

Caroline aprì la bocca per parlare, ma non riuscì a pensare a niente da dire. Se ne rimase lì, con un braccio attorno a Jody, e fu forse la cosa migliore da fare. Senza altre parole la sua borsa fu sollevata dal pavimento, loro due furono fatti rapidamente entrare, quindi il portone venne chiuso contro la notte tempestosa.

L'incubo era finito. La casa era calda. Erano al sicuro.

4

Sbigottito com'era, ciò che soprattutto colpì Oliver fu la loro giovanissima età. Che cosa facevano fuori in una notte come quella due bambini, alle undici e mezzo? Da dove erano venuti con le loro borsettine per la notte e dove stavano andando in nome del cielo? Ma, mentre le domande gli si affollavano nella mente, capì che avrebbe dovuto riservarle a dopo. L'unica cosa importante a quel punto era spogliarli dei vestiti bagnati e metterli in un bagno caldo prima che morissero assiderati tutti e due.

«Venite. Svelti» disse senza perder tempo in spiegazioni. Si girò e si diresse, due gradini alla volta, su per le scale. Dopo un istante di esitazione sentì che lo seguivano, affrettandosi a stargli dietro. Corse avanti con il pensiero. C'erano due bagni. Andò prima nel suo, accese la luce, mise il tappo nella vasca, aprì il rubinetto dell'acqua calda e si soffermò a considerare con gratitudine il fatto che una delle cose che funzionavano in quella vecchia casa era l'acqua calda, poiché quasi immediatamente le volute di vapore salirono a formare confortanti nuvolette.

«Tu va' qui» disse alla ragazza. «Entraci di gran carriera e stacci finché non senti di nuovo caldo. E tu» afferrò il braccio del ragazzo, inerte sotto gli abiti fradici e gelidi «vieni da questa parte.» Lo sospinse per il lungo corridoio fino al vecchio bagno dei bambini, accendendo le luci nel passare. Quel bagno non era usato da un po' di tempo, ma i tubi dell'acqua calda lo mantenevano tiepido. Tirò le vecchie tende stinte, decorate con i personaggi di Beatrix Potter, e aprì la seconda serie di rubinetti.

Il ragazzo stava già maneggiando con i bottoni della giacca. «Ce la fai?»

«Sì, grazie.»

«A più tardi.»

«Va bene.»

Lasciò che il ragazzo si arrangiasse da solo. Si fermò per un attimo fuori della porta, cercando di decidere che cosa fare dopo. Era ovvio che a quell'ora della notte si sarebbero dovuti fermare fino al mattino e così percorse di nuovo il corridoio fino alla vecchia e grande stanza degli ospiti. Era terribilmente fredda, ma lui, chiuse le pesanti tende, accese tutte e due le resistenze della stufa elettrica, poi rovesciò il copriletto e vide con sollievo che la signora Cooper aveva lasciato fatto il letto matrimoniale, con le migliori lenzuola di lino e le federe con l'orlo a giorno. Da quella stanza una porta conduceva in una più piccola, un tempo uno spogliatoio, che conteneva un letto singolo, anche quello pronto a essere occupato, sebbene anche lì la temperatura fosse bassissima. Quando ebbe chiuso le tende e acceso un'altra stufa, tornò di sotto, raccolse le due borsettine di bagaglio abbandonate nell'ingresso e le portò in biblioteca. Il fuoco stava spegnendosi. Era stato sul punto di andare a letto, quando il campanello l'aveva disturbato. Alimentò la fiamma con una pila di ciocchi di legno; poi pose un parafuoco di ottone davanti alle scintille scoppiettanti.

Aprì la cerniera della prima borsa e ne estrasse un pigiama a righe bianche e blu, un paio di pantofole, una vestaglia grigia di lana. Era tutto leggermente umido; perciò, sentendosi come una governante scrupolosa, distese la roba sul parafuoco ad asciugare. L'altra borsa non produsse niente di così pratico come il pigiama bianco e blu. C'erano bottiglie, vasetti, una spazzola, un pettine, un paio di ciabattine dorate e infine una camicia da notte con una vestaglia leggera abbinata; azzurra, con molto pizzo, completamente inutile. Oliver mise la camicia da notte a fianco del pigiama. L'accostamento gli parve suggestivo e sensuale e trovò il tempo di sorridere a quell'idea, prima di dirigersi in cucina con il compito di trovare qualcosa di nutriente da mangiare per i suoi visitatori.

La signora Cooper aveva preparato una pentola di minestrone alla scozzese per la cena di Oliver, e ce n'era ancora metà. La mise sulla stufa a scaldare e poi si ricordò che non sempre ai ragazzini piaceva il minestrone alla scozzese, così trovò una lattina di zuppa di pomodoro, l'aprì e la mise in un'altra pentola. Tirò fuori un vassoio, tagliò del pane e burro, trovò alcune mele, una brocca di latte. Osservò quel pasto semplice e poi vi aggiunse una bottiglia di whisky (per sé, se non altro), un sifone di soda e tre bicchieri. Accese infine il bollitore grande e, dopo alcune ricerche, disseppellì da un cassetto insospettato alcune borse per l'acqua calda. Con quelle ben riempite sotto braccio andò a raccogliere le cose per la notte, che, ormai asciutte e calde, avevano un profumo confortante, come in una camera dei bambini all'antica. Mise le bottiglie nel letto, poi andò nella sua stanza e prese un maglione di lana shetland da un cassetto e una vestaglia di flanella da dietro la porta.

Batté con il pugno alla porta del bagno. «Come stai?»

«Mi sono scaldata. È meraviglioso» rispose la voce della ragazza.

«Bene, ti lascio fuori della porta un asciugamano e alcune cose da metterti. Vestiti quando te la senti.»

«D'accordo.»

Senza curarsi di bussare alla porta dell'altro bagno, l'aprì ed entrò. Il ragazzo era sdraiato nella vasca piena d'acqua e muoveva lentamente le gambe avanti e indietro. Alzò gli occhi, non imbarazzato dall'improvvisa apparizione di Oliver.

«Come ti senti adesso?» chiese Oliver.

«Molto meglio, grazie. Non ho mai provato tanto freddo in vita mia.»

Oliver avvicinò una sedia e vi si sedette sopra con fare cameratesco.

«Che cosa è successo?» chiese.

Il ragazzo si alzò a sedere nella vasca. Oliver vide le lentiggini, su tutta la schiena, sulle braccia, spruzzate su tutto il viso. I capelli erano bagnati e scompigliati, del colore delle foglie del faggio rosso. «La macchina è finita in un fosso» disse.

«Nella neve?»

«Sì. Abbiamo oltrepassato il ponticello e non sapevamo che la strada facesse una svolta così brusca. Non riuscivamo a vedere con la neve.»

«È un brutto angolo anche nei momenti migliori. Che cosa è successo alla macchina?»

«L'abbiamo lasciata là.»
«Dove stavate andando?»
«A Strathcorrie.»
«Da dove venite?»
«Da Londra.»
«Londra?» Oliver non riuscì a nascondere lo stupore nella sua voce. «Da Londra? Oggi?»
«Sì. Siamo partiti presto questa mattina.»
«E la ragazza? È tua sorella?»
«Sì.»
«Era lei che guidava?»
«Sì, ha guidato per tutta la strada.»
«Solo voi due.»
Il ragazzo assunse un'aria composta. «Andavamo benissimo» disse.
«Sì, certo» lo assicurò Oliver in fretta. «È che tua sorella non sembra avere l'età giusta per guidare una macchina.»
«Ha vent'anni.»
«In tal caso ha l'età giusta.»
Seguì un breve silenzio. Jody prese una spugna, la strizzò pensieroso e poi si picchiettò il viso, scostando un ciuffo di capelli umidi dalla fronte. Riapparendo da dietro la spugna, disse: «Penso di essermi riscaldato abbastanza adesso. Credo che uscirò».
«Esci allora.» Oliver prese l'asciugamano, lo aprì scuotendolo e, quando il ragazzo appoggiò i piedi sul tappetino del bagno, ce lo avvolse. Il ragazzo gli era di fronte. I loro occhi erano alla stessa altezza. Con gentilezza Oliver lo frizionò con l'asciugamano.
«Come ti chiami?» chiese.
«Jody.»
«Jody come?»
«Jody Cliburn.»

«E tua sorella?»
«Caroline.»
Con un angolo dell'asciugamano Oliver frizionò i capelli di Jody. «Avete qualche ragione particolare per venire a Strathcorrie?»
«Mio fratello è là.»
«Anche lui si chiama Cliburn?»
«Sì. Angus Cliburn.»
«Dovrei conoscerlo?»
«Non credo. È là da poco. Lavora in un albergo.»
«Capisco.»
«Sarà preoccupato» disse Jody.
«Perché?» Oliver, preso il pigiama, porse la giacca a Jody.
«È caldo» disse Jody.
«È stato davanti al fuoco. Perché sarà preoccupato?»
«Gli abbiamo mandato un telegramma. Ci starà aspettando. E noi non siamo arrivati.»
«Saprà della tormenta. Penserà che vi siete fermati.»
«Non credevamo che sarebbe nevicato. A Londra ci sono i crochi e le gemme sugli alberi.»
«Questo è il lontano, gelido nord, ragazzo mio. Non si può mai contare sul tempo.»
«Non sono mai stato in Scozia prima.» Jody indossò i pantaloni del pigiama e legò il laccio attorno alla vita. «E nemmeno Caroline.»
«Una gran sfortuna che il tempo vi abbia giocato questo scherzo!»
«A dire il vero, è stato piuttosto emozionante. Un'avventura.»
«Le avventure vanno bene, quando si concludono bene. Non sono così divertenti, quando continuano troppo. Dalla vostra ve la siete cavata egregiamente.»

«Siamo stati fortunati a trovarti.»
«Sì, penso proprio di sì.»
«È la tua casa?»
«Sì.»
«Vivi qui da solo?»
«Al momento sì.»
«Come si chiama la casa?»
«Cairney.»
«E tu?»
«Anch'io. Cairney. Oliver Cairney.»
«Santo cielo.»
Oliver sorrise. «Complicato, non è vero? Adesso, se sei pronto andiamo a cercare tua sorella e poi a mangiare qualcosa.» Aprì la porta. «A proposito, preferisci il minestrone alla scozzese o la zuppa di pomodoro?»
«La zuppa di pomodoro, se c'è.»
«Ne ero sicuro.»
Mentre percorrevano il corridoio, Caroline emerse dall'altro bagno. Su di lei la vestaglia di Oliver era enorme. Sembrava ancora più piccola e sottile di come gli era apparsa al primo momento. I lunghi capelli erano bagnati e il collo alto del maglione sembrava sostenerle la testa fragile.
«Mi sento davvero un'altra adesso... grazie moltissimo...»
«Andiamo a mangiare qualcosa...»
«Siamo una scocciatura terribile, ho paura.»
«Sarete una scocciatura solo se prenderete un raffreddore e sarò costretto a badare a voi.»
Avviandosi di sotto, sentì Jody che diceva alla sorella, in tono di grande soddisfazione: «Dice che c'è la zuppa di pomodoro».
Si fermò alla porta della cucina. «Quella là in fon-

do è la porta della biblioteca. Andate lì ad aspettarmi e vi porterò la cena. E mettete altra legna sul fuoco, fate una bella fiammata.»

La zuppa stava bollendo piano. Riempì due scodelle con il mestolo e poi portò il vassoio carico in biblioteca dove li trovò accanto al fuoco, Jody seduto su uno sgabello e sua sorella in ginocchio sul tappeto davanti al camino che cercava di asciugarsi i capelli. Lisa, il cane di Charles, sedeva tra loro due, con la testa appoggiata sul ginocchio di Jody. Il ragazzo le accarezzava le orecchie. Alzò gli occhi, quando Oliver apparve.

«Come si chiama il cane?»

«Lisa. Siete diventati amici?»

«Penso di sì.»

«Di solito non fa amicizia così in fretta.» Depose il vassoio su un tavolino basso, spingendo di lato alcune riviste e giornali vecchi per fargli posto.

«È il tuo cane?»

«Al momento sì. Hai un cane?»

«No.» La sua voce era triste. Oliver decise di cambiare argomento. «Perché non mangiate la zuppa, prima che si raffreddi?» E mentre incominciavano a mangiare, lui tolse il parafuoco, aggiunse un altro ciocco, si versò un whisky con soda e si sistemò nella vecchia poltrona malandata accanto al caminetto.

Mangiarono in silenzio. In pochi minuti Jody finì la minestra, mangiò tutto il pane e burro, bevve alcuni bicchieri di latte e poi attaccò con le mele; ma sua sorella, assaggiato un po' di minestrone, depose il cucchiaio come se non avesse più fame.

«Non è buona?» chiese Oliver.

«È squisita. Ma non riesco a mangiarne più.»

«Non hai fame? Devi aver fame.»

«Non ha mai fame» intervenne Jody.
«Qualcosa da bere, forse?»
«No, grazie.»
L'argomento fu chiuso. «Tuo fratello e io abbiamo fatto una chiacchierata mentre faceva il bagno. Voi siete Jody e Caroline Cliburn» disse Oliver.
«Sì.»
«Io sono Oliver Cairney. Te l'ha detto?»
«Sì. Poco fa.»
«Venite da Londra?»
«Sì.»
«Siete finiti con la macchina in un fosso in fondo al mio viale d'accesso?»
«Sì.»
«Stavate dirigendovi a Strathcorrie?»
«Sì. Nostro fratello lavora là. All'albergo.»
«Vi sta aspettando?»
«Gli abbiamo mandato un telegramma. Si starà chiedendo che cosa ci è successo.»
Oliver guardò l'orologio. «È quasi mezzanotte. Ma se volete, posso tentare di comunicare per telefono. Magari c'è un portiere di notte in servizio.»
«Potrebbe farlo?» chiese Caroline in tono riconoscente.
«Posso sempre provare.» Ma il telefono era muto. «La comunicazione è interrotta. È per la bufera.»
«Ma che cosa facciamo?»
«Non c'è niente che possiate fare tranne stare qui.»
«Ma Angus...»
«Come ho detto a Jody, capirà che cosa è successo.»
«E domani?»
«Se la strada non è bloccata, possiamo andare a Strathcorrie in un modo o nell'altro. Nella peggiore delle ipotesi useremo la mia Land Rover.»

«E se la strada è bloccata?»

«Ce ne preoccuperemo, se succederà.»

«Il fatto è... be', non abbiamo un sacco di tempo. Dobbiamo essere di ritorno a Londra venerdì.»

Oliver abbassò lo sguardo sul suo drink, dondolando gentilmente il bicchiere nella mano. «C'è qualcuno a Londra che dovreste contattare? Per fargli sapere che siete al sicuro?»

Jody guardò sua sorella. Dopo un po' lei disse: «Il telefono non funziona».

«Quando avremo la linea?»

«No, non dobbiamo contattare nessuno» disse Caroline.

Era sicuro che mentiva. La guardò in viso; vide gli zigomi alti, il nasino schiacciato, la bocca larga. Aveva ombre scure sotto gli occhi, e i capelli molto lunghi, chiari, dritti come seta. Per un istante i loro sguardi si incontrarono, poi lei guardò altrove. Oliver decise di non insistere sull'argomento. «Me lo chiedevo solo» disse mitemente.

Al mattino, quando Caroline si svegliò, la luce della neve si rifletteva sul soffitto bianco della grande stanza da letto. Assonnata, con la testa su un cuscino di piumino d'oca, udì abbaiare un cane e poco dopo il suono stridente di un trattore che si avvicinava. Prese l'orologio e vide che erano già le nove passate. Uscì dal letto, si recò alla finestra, aprì le tende rosa e fu assalita da un fiotto di luce così accecante da farle sbattere gli occhi.

Il mondo era bianco. Il cielo era limpido e blu come l'uovo di un pettirosso. Ombre lunghe si stagliavano come lividi sul terreno scintillante, tutto era ammorbidito e arrotondato dalla neve. C'era neve lungo i rami dei pini e ammucchiata a forma di un cappello bianco in cima ai pali della recinzione. Caroline spalancò la finestra e si sporse fuori. L'aria era fredda, fragrante, stimolante come vino ghiacciato.

Ricordando gli avvenimenti terribili della notte precedente, cercò di orientarsi. Di fronte alla casa c'era un largo spiazzo aperto, probabilmente un prato, circondato dal vialetto d'accesso. Il viale con gli alti alberi, che lei e Jody avevano risalito a fatica, si perdeva in lontananza, giù oltre la cresta di una collina. In fondo, tra le pieghe dei pascoli degradanti, si snodava la strada principale tra i muri a secco. Una macchina avanzava lentamente.

Il trattore che aveva udito stava risalendo il viale alberato. Apparve da dietro un enorme cespuglio di rododendri, sbuffando si mosse lungo il perimetro del prato e poi uscì di vista finendo dietro la casa.

Faceva troppo freddo per stare fuori. Si ritrasse nella stanza da letto e chiuse la finestra. Pensò a Jody e andò ad aprire la porta che conduceva nella sua stanza. All'interno, c'era buio e silenzio, mosso solo dal suo respiro. Chiuse la porta e cercò qualcosa da indossare. Ma c'erano solo il maglione e la vestaglia presi in prestito, e così, con quelli addosso, ma scalza, uscì dalla stanza e percorse il corridoio nella speranza di trovare qualcuno che l'aiutasse.

Capì in quel momento che era una casa enorme. Il corridoio arrivava a un grande pianerottolo, arredato con tappeti, un cassettone di castagno, alcune sedie e un tavolo dove qualcuno aveva appoggiato una pila di camicie pulite, ben stirate. In cima alla scala rimase ad ascoltare e distinse voci lontane. Scese al pianterreno e, seguendo il mormorio delle voci, si trovò davanti alla porta di quella che presumibilmente era la cucina. Spinse la porta che si spalancò; immediatamente le due persone all'interno smisero di parlare e si voltarono a vedere chi era.

Oliver Cairney, con un pesante maglione color crema, era seduto al tavolo della cucina con una tazza di tè in mano. Stava parlando alla donna in piedi che pelava patate al lavandino. Di mezz'età, con i capelli grigi, le maniche arrotolate e un grembiule a fiori legato con un fiocco dietro la schiena. La cucina era calda e sapeva di pane in forno. Caroline si sentì un'intrusa. Disse: «Mi dispiace...».

Oliver, immobilizzato per qualche attimo dalla sorpresa, depose la tazza e si alzò in piedi.

«Non c'è niente di cui dispiacersi. Pensavo che avreste dormito fino all'ora di pranzo.»

«Jody dorme ancora.»

«La signora Cooper; signora Cooper, questa è Caroline Cliburn. Ho appena raccontato alla signora Cooper quello che vi è successo.»

«È stata una notte terribile, senza dubbio. Le linee telefoniche non funzionano» disse la signora Cooper.

Caroline guardò Oliver. «Non si può ancora comunicare?»

«No, e non potremo farlo ancora per un po'. Vieni a prendere una tazza di tè. Che cosa desideri? Uova e pancetta?»

Non voleva niente. «Del tè andrà benissimo.» Le offrì una sedia e lei si sedette al tavolo rustico. «Siamo bloccati dalla neve?»

«In parte. La strada per Strathcorrie è bloccata, ma possiamo scendere a Relkirk.»

Caroline si sentì mancare. «E... la macchina?» Aveva quasi paura a chiedere.

«Il signor Cooper è andato là a vedere sul trattore.»
«È un trattore rosso?»
«Sì.»
«L'ho visto tornare su per la strada.»
«In questo caso, sarà qui a momenti a farci sapere che cosa sta succedendo.» Aveva trovato una tazza e un piattino e ora versò a Caroline una tazza di tè dalla teiera marrone che bolliva allegramente sulla stufa. Era molto forte, ma anche molto caldo e lei lo bevve riconoscente. Disse: «Non trovo i miei vestiti».
«Sono stata io» disse la signora Cooper. «Li ho messi ad asciugare nell'essiccatoio. Adesso dovrebbero essere pronti. Ma, santo cielo» scosse la testa «voi due dovete esservi inzuppati.»
«Proprio così» disse Oliver. «Sembravano topi annegati.»
Quando Caroline, rivestita, fu tornata al pianterreno, al gruppo si era unito il signor Cooper con le novità sulla macchina nel fosso. Era un uomo di campagna e parlava con un accento così marcato che Caroline faceva fatica a capire quello che diceva.
«Oh sì, l'abbiamo tolta per bene dal fosso, ma il motore è morto.»
«Perché?»
«È gelato per il freddo, non mi stupirei.»
Oliver guardò Caroline: «Non avevate l'antigelo?».
Caroline fece una faccia assente.
«L'antigelo» ripeté. «Non ti dice niente?»
Lei scosse la testa e Oliver si voltò di nuovo verso Cooper. «Ha ragione. È gelato per il freddo.»
«Avrei dovuto usare l'antigelo?»
«Sarebbe stata una buona idea.»
«Non lo sapevo. Non è mia la macchina.»

«L'hai rubata per caso?»

La signora Cooper fece un piccolo suono di disapprovazione, inspirando fra le labbra corrugate. Caroline non era certa se la disapprovazione fosse rivolta a Oliver o a lei. «No, certo. Ce l'hanno prestata» rispose con dignità.

«Capisco. Be', regalata, prestata o rubata, propongo di andare a vedere che cosa si può fare.»

«Bene» disse Cooper, rimettendosi il vecchio berretto sulla testa con la manona arrossata e dirigendosi verso la porta. «Se lei prende la Land Rover, io vado a cercare un cavo da traino e, se possibile, il giovane Geordie perché mi dia una mano. Vediamo se possiamo tirarla fuori con il trattore.

Quando se ne fu andato, Oliver guardò Caroline. «Vieni?»

«Sì.»

«Hai bisogno degli stivali.»

«Non li ho.»

«Ce ne sono alcuni qui...»

Lo seguì in una vecchia lavanderia, ora usata come ripostiglio, dove erano ammucchiati impermeabili, stivali di gomma, ceste per il cane, una o due biciclette arrugginite e una lavatrice nuova di zecca. Dopo alcune ricerche, Oliver esibì un paio di stivali di gomma che andavano pressappoco bene e un impermeabile di tela cerata nera. Caroline lo indossò, scostò i capelli dal bavero e quindi, vestita in modo adeguato, lo seguì fuori nel mattino scintillante.

«Neve invernale, sole primaverile» disse Oliver soddisfatto, mentre calpestavano la neve intatta dirigendosi verso le porte chiuse del garage.

«La neve durerà?»

«Probabilmente no. Anche se ci vorrà un po' di

tempo perché si sciolga. Sono venuti giù quasi trenta centimetri ieri notte.»

«A Londra era primavera.»

«È quello che ha detto tuo fratello.»

Si protese a sbloccare i chiavistelli e aprì le grandi porte doppie del garage. C'erano dentro due macchine, la berlina sportiva verde scuro e la Land Rover. «Prendiamo la Land Rover» disse «e non rimarremo bloccati.»

Caroline ci salì su. Uscirono dal garage a marcia indietro, girarono intorno alla casa e scesero lungo il viale alberato, seguendo con attenzione i solchi scuri già tracciati dal trattore del signor Cooper. La mattina era silenziosa; i suoni erano attutiti dalla neve, eppure c'era vita attorno... c'erano delle orme sotto gli alberi e le piccole impronte stellate di uccelli diversi.

Uscirono dal cancello e imboccarono la strada nel sole abbagliante. Oliver fermò la Land Rover sul bordo ed entrambi scesero. A quel punto Caroline vide il ponte a schiena d'asino che era stato la loro rovina e la forma sconsolata della macchina di Caleb, avvolta dalla neve, tutta di traverso nel fosso, il terreno intorno segnato dalle impronte degli stivaloni del signor Cooper. Sembrava finita, mummificata, come se non potesse muoversi mai più. Caroline si sentì terribilmente in colpa.

Oliver aprì la portiera e con attenzione si infilò per metà al posto di guida, lasciando solo una lunga gamba fuori. Girò la chiave che Caroline aveva lasciato sbadatamente inserita: dal motore provenne un rumore agonizzante e un forte odore di bruciato. Senza dire una parola, uscì di nuovo dalla macchina e sbatté la portiera. «È inutile» lo udì mormorare e si sentì non solo in colpa, ma anche stupida.

«Non sapevo dell'antigelo. Non è la mia macchina» disse con la vaga idea di difendersi.

Lui non rispose, ma fece il giro della macchina, togliendo a calci la neve dalle ruote posteriori e poi accovacciandosi sulla strada innevata per vedere se l'asse posteriore si fosse incastrato contro il margine del fosso.

Tutto ciò le parve molto deprimente e all'improvviso ebbe voglia di piangere. Le cose si erano messe malissimo. Lei e Jody erano bloccati lì, con quell'uomo poco comprensivo; l'auto di Caleb era fuori uso; non c'erano telefoni per chiamare Strathcorrie; la strada era bloccata. Ricacciando indietro le lacrime, si girò a guardare su per la strada che si dipanava lungo il fianco e oltre la cresta di una collinetta. Tra i muretti a secco la neve era alta e bianca; spirava la brezza, residuo della tormenta della notte prima, e soffiava via dai campi come fumo un velo soffice di neve, depositandola sui mucchi che, simili a sculture luccicanti, si erano già accumulati agli angoli degli argini. Da qualche parte nel mattino silenzioso un chiurlo piombò dal cielo, emettendo il suo lungo verso armonioso. Poi l'aria fu di nuovo immobile.

Alle sue spalle i passi di Oliver scricchiolarono sulla neve. Si voltò a guardarlo, con le mani affondate nelle tasche dell'impermeabile preso in prestito.

«Temo che non ci sia niente da fare» le disse.

Caroline inorridì. «Non si può ripararla?»

«Oh sì. Cooper la tirerà fuori con il trattore e la porterà all'officina lungo la strada. C'è un bravo meccanico là. La Mini sarà pronta domani o dopodomani.» Qualcosa nel viso di lei gli fece aggiungere, come se volesse cercare di risollevarle il morale:

«Anche se avessi un'auto, non ce la faresti mai a guidare fino a Strathcorrie. La strada è impraticabile».

Lei si voltò di nuovo a guardare. «Quando sarà sgombra?»

«Non appena arriverà lo spazzaneve. Una nevicata come questa, proprio alla fine dell'inverno, tende a sconvolgere tutto. Dobbiamo aver pazienza.»

Le aprì la porta della Land Rover e attese che vi salisse. Lentamente, Caroline montò in macchina. Oliver chiuse la porta, fece il giro e si mise al volante. Lei pensava che l'avrebbe ricondotta alla casa, ma lui, accesa una sigaretta, rimase seduto a fumare, apparentemente immerso in profonde riflessioni.

Caroline si impensierì. Le macchine erano un bel posto per stare con una persona che piaceva. Ma brutto, se la persona stava per fare un mucchio di domande a cui non si voleva rispondere.

E non appena lui parlò, i suoi timori furono giustificati.

«Quando hai detto che dovevate essere di ritorno a Londra?»

«Venerdì. Ho detto che saremmo ritornati per venerdì.»

«A chi l'hai detto?»

«A Caleb. L'uomo che ci ha prestato la macchina.»

«E i vostri genitori?»

«I nostri genitori sono morti.»

«Non c'è nessuno? Ci deve essere qualcuno. Non riesco a credere che voi due viviate insieme, per conto vostro.» Suo malgrado, Oliver ridacchiò all'idea. «Ci sarebbero tremendi disastri in vista.»

Caroline non trovò l'osservazione molto divertente. «Se lo vuole proprio sapere, viviamo con la nostra matrigna» disse, con freddezza.

Oliver fece una faccia esperta. «Capisco.»
«Che cosa capisce?»
«Una matrigna malvagia.»
«Non è affatto malvagia. È molto cara.»
«Non sa dove siete.»
«Sì» disse Caroline, esitando impacciata sulla mezza verità. E poi, con tono più convincente: «Sì, lo sa. Sa che siamo in Scozia».
«Sa perché siete in Scozia? Sa di vostro fratello Angus?»
«Sì, sa anche quello.»
«E... fare tutta questa strada per trovare Angus. C'è qualche ragione particolare o è solo per dirgli ciao?»
«Non del tutto.»
«Non è una risposta.»
«No?»
Seguì una lunga pausa. Dopo un po' Oliver disse, con ingannevole mitezza: «Sai, ho la netta sensazione di muovermi su del ghiaccio sottilissimo. Sappi che non me ne importa niente di quello che stai combinando tu, ma vagamente penso che dovrei prendermi la responsabilità di tuo fratello. Dopo tutto ha solo... undici anni?».
«Mi prendo io la responsabilità di mio fratello.»
La voce di lui era pacata. «Per poco non siete morti tutti e due ieri sera. Lo sai, non è vero?» Caroline lo fissò e vide con stupore che era convinto di quello che diceva.
«Ho visto la luce prima di lasciarmi la macchina alle spalle. Altrimenti saremmo rimasti in macchina e avremmo aspettato che finisse la bufera.»
«Delle tormente si deve tener conto in questa parte del mondo. Avete avuto fortuna.»

«Lei è stato gentile. Più che gentile. Non l'ho ringraziata in modo appropriato. Ma sono ancora convinta che prima raggiungiamo Angus e ci togliamo dai piedi, meglio è.»

«Vedremo come andrà. A proposito, oggi devo uscire. Ho un appuntamento per pranzo a Relkirk. Ma la signora Cooper sfamerà te e Jody e, quando sarò di ritorno, forse la strada per Strathcorrie sarà aperta e potrò portarvici tutti e due e consegnarvi a vostro fratello.»

Caroline ci pensò su e per qualche motivo concluse che non fosse una buona idea far incontrare Oliver Cairney e Angus Cliburn.

«Sicuramente c'è un modo per...»

«No.» Oliver si chinò in avanti e spense la sigaretta. «No, non c'è altro modo per andare a Strathcorrie, a meno di volare. Perciò sta' tranquilla e aspettami a Cairney. Capito?»

Caroline aprì la bocca per ribattere, colse lo sguardo di lui e chiuse di nuovo la bocca. Con riluttanza fece cenno di sì. «D'accordo.»

Per un attimo pensò che Oliver avrebbe continuato la discussione, ma, grazie al cielo, la sua attenzione fu distolta dall'arrivo del trattore, con il signor Cooper al volante e un ragazzo dal berretto di maglia appollaiato sul sedile dietro di lui. Oliver uscì dalla Land Rover e andò ad assisterli; ma si trattava di un lavoro lungo e noioso e, quando ebbero liberato l'auto di Caleb dalla neve, gettato della ghiaia sotto le ruote, legato le corde all'asse posteriore e provato a tirarla fuori, senza successo per due o tre volte, prima che finalmente, riluttante, si muovesse, erano quasi le undici. Caroline osservò il piccolo corteo avviato in direzione dell'officina, Cooper al volante del trattore e Geordie nella Mini, che teneva la strada a fatica all'estremità del cavo di traino. Si sentì in colpa.

«Spero che andrà tutto bene» disse a Oliver, quando lui risalì in macchina al suo fianco. «Non sarebbe così tremendo se fosse la mia auto, ma ho promesso a Caleb che l'avrei tenuta benissimo.»

«Non è stata colpa tua. Sarebbe potuto succedere a chiunque. Quando l'officina avrà finito, probabilmente andrà meglio di prima.» Guardò l'orologio. «Dobbiamo andare, devo cambiarmi e arrivare a Relkirk per le dodici e trenta.»

Ritornarono alla casa in silenzio, parcheggiarono davanti alla porta e entrarono.

Ai piedi delle scale Oliver si fermò a guardare Caroline.

«Tutto a posto?»

«Certo.»

«A più tardi allora.»

Caroline l'osservò andare di sopra, con le lunghe gambe che facevano i gradini due alla volta. Poi, tolti l'impermeabile di tela cerata e gli stivaloni, andò alla ricerca di Jody. La cucina era vuota, ma trovò la signora Cooper che passava l'aspirapolvere sull'enorme distesa di un tappeto turco nella sala da pranzo poco usata. Quando Caroline comparve alla porta, spense l'apparecchio.

«Ha fatto sistemare la macchina?» chiese.

«Sì. Molto gentilmente suo marito l'ha portata all'officina. Ha visto Jody?»

«Sì, è sveglio e in giro, il caro piccolino. È venuto di sotto e ha fatto colazione con me in cucina. È in gran forma. Ha preso due uova sode, pane tostato, miele e un bicchiere di latte. Poi gli ho mostrato la vecchia camera dei ragazzi e adesso è lì, tutto preso dalle costruzioni, le macchinine e Dio sa che cos'altro.»

«Dov'è la stanza dei bambini?»

«Venga che gliela mostro.»

Lasciò le pulizie e le fece strada su per una piccola scala sul retro, oltre una porta, fino a un corridoio dipinto di bianco con la moquette blu. «Questa era l'ala dei bambini in passato, tutta destinata ai ragazzi. Ora non è usata, naturalmente, non lo è da anni, ma ho acceso un fuocherello, così è bella calda.» Aprì una porta e si fece da parte per far entrare Caroline. Era una stanza grande, con un balconcino che dava sul giardino. Una fiamma ardeva dietro un alto parafuoco; c'erano vecchie poltrone e un divano malandato, scaffali, un vecchissimo cavalluccio a dondolo senza coda, e sul pavimento, nel mezzo della moquette logora, Jody, circondato da una fortificazione di mattoncini di legno che arrivava fino agli angoli della stanza, tutta attrezzata con macchinine, soldatini, cowboy, cavalieri in armi e animali da fattoria. Alzò lo sguardo quando lei entrò, talmente concentrato da non apparire nemmeno imbarazzato per essere stato sorpreso in un'occupazione così infantile.

«Santo cielo!» disse Caroline. «Quanto ci hai messo a costruire tutta questa roba?»

«Da quando ho fatto colazione. Non buttar giù quella torre.»

«Non ne ho l'intenzione.» La scavalcò con cautela e si diresse verso il caminetto dove si fermò, appoggiandosi al parafuoco.

La signora Cooper era colma di ammirazione. «Non ho mai visto niente di così carino! E tutte quelle stradine! Devi aver usato tutti i mattoncini che c'erano.»

«Quasi.» Jody le sorrise. Ovviamente erano già amici per la pelle.

«Bene, allora vi lascio. E il pranzo è alle dodici e mezzo. Ho fatto la torta di mele e c'è un pochino di panna. Ti piace la torta di mele, tesoro?»

«Sì, mi piace tantissimo.»

«Bene.» Se ne andò. La sentirono canticchiare sotto voce. «Non è gentile?» chiese Jody, allineando due mattoncini alti per costruire un portale solenne al suo forte.

«Sì. Hai dormito bene?»

«Come un masso. È una casa fantastica.» Aggiunse un'altra coppia di mattoncini per alzare il portale.

«La macchina è in officina. L'ha portata il signor Cooper. Non aveva l'antigelo.»

«Stupido vecchio Caleb» disse Jody. Scelse un mattoncino ad arco e lo piazzò con attenzione, coronando il suo capolavoro. Appoggiò la guancia sulla moquette, guardando attraverso l'arco, immmaginandosi minuscolo, fingendo di poterlo attraversare a cavallo su un grande stallone bianco, con la piuma dell'elmo fluttuante al vento e lo stendardo levato in alto.

«Jody, la notte scorsa, quando parlavi nel bagno, non hai detto niente di Angus, non è vero? A Oliver Cairney?»

«No. Solo che stavamo andando a cercarlo.»

«O di Diana? O Hugh?»

«Non me l'ha mai chiesto.»

«Non dire niente.»

Jody alzò lo sguardo. «Quanto staremo ancora qui?»

«Pochissimo. Troveremo Angus questo pomeriggio, andremo a Strathcorrie, non appena le strade saranno state sgombrate.»

Jody non fece nessun commento. Lei lo guardò prendere un cavallino da una scatola aperta, poi cercare il cavaliere che potesse andargli bene sulla sella. Ne scelse uno, combinò i due insieme, li osservò reggendoli a una certa distanza per valutarne l'effetto. Sistemò il cavaliere con la massima precisione sotto l'arco d'entrata.

«La signora Cooper mi ha raccontato una cosa» prese a dire.

«Che cosa?»

«Questa non è casa sua.»

«Che cosa vuoi dire, non è casa sua? Deve essere casa sua.»

«Apparteneva al fratello. Oliver vive a Londra, ma suo fratello viveva qui. Faceva il fattore. Ecco perché ci sono cani, trattori e altre cose qui intorno.»

«Che cosa è successo al fratello?»

«È morto» disse Jody. «In un incidente d'auto, la settimana scorsa.»

Morto in un incidente d'auto. Qualcosa, un certo ricordo, si agitò nel fondo del subcosciente di Caroline, ma si perse quasi subito nell'orrore, quando l'affermazione distaccata di Jody assunse concretezza. Scoprì di essersi messa una mano sulla bocca, quasi volesse inghiottire la parola. Morto.

«Ecco perché Oliver è qui.» La voce di Jody era brusca, un segnale sicuro che era angosciato. «Per il funerale e tutto il resto. Per sistemare le cose, dice la signora Cooper. Sta per vendere questa casa, la fattoria e tutto e non tornerà mai più.» Si alzò con attenzione, giunse a fianco di Caroline e le rimase vicino. Lei capì che, nonostante il suo apparente autocontrollo, aveva tutto a un tratto bisogno di essere consolato.

«E, in mezzo a tutto questo siamo comparsi noi. Poveretto!» disse cingendolo con un braccio.

«La signora Cooper è sicura che sia stato un bene. Secondo lei, lo distrae dal dolore.» Alzò lo sguardo su di lei. «Quando arriveremo da Angus?»

«Oggi» gli promise Caroline senza alcuna esitazione. «Oggi.»

Oltre alla torta di mele e alla panna, per pranzo c'erano carne trita, patate arrosto e purè di rape svedesi. "Raperonzoli" le chiamò la signora Cooper, servendole sul piatto a Jody. Caroline, che aveva pensato di aver fame, scoprì che non era vero, ma Jody mangiò tutto e poi attaccò con piacere una stecca di torrone fatto in casa.

«E, adesso, che cosa avete intenzione di combinare voi due per il resto della giornata? Il signor Cairney non sarà di ritorno fino all'ora del tè.»

«Posso continuare a giocare nella stanza dei bambini?» volle sapere Jody.

«Certo, tesoro.» La signora Cooper guardò Caroline.

«Farò una passeggiata» annunciò.

La signora Cooper apparve sorpresa. «Non ha preso abbastanza aria fresca per oggi?»

«Mi piace stare all'aperto. Ed è così bello con la neve.»

«Adesso però si sta rannuvolando; non sarà bello nel pomeriggio.»

«Non importa.»

Jody era combattuto. «Ti dispiace se non vengo con te?»

«Certo che no.»

«Pensavo di costruire una tribuna. Sai, per osservare il torneo.»

«Fa' pure.»

Preso da questi progetti, Jody si scusò e sparì di sopra a metterli in atto. Caroline si offrì di aiutare la signora Cooper con i piatti, ma lei le disse di no, incitandola a uscire, prima che arrivasse la pioggia. Caroline se ne andò dalla cucina, attraversò l'ingresso, mise l'impermeabile e gli stivali di gomma che aveva indossato quella mattina, si legò una sciarpa attorno alla testa e uscì di casa.

La signora Cooper aveva avuto ragione sulla giornata. A ovest si erano accumulate delle nuvole, l'aria era meno fredda, il sole era sparito. Affondò le mani nelle tasche dell'impermeabile, attraversò il prato, percorse il viale alberato e, oltrepassato il cancello, si avviò sulla strada. Girò a sinistra, in direzione di Strathcorrie, e prese a camminare.

"Sta' tranquilla e aspettami a Cairney" aveva detto Oliver. Se non fosse stata lì al suo ritorno, si sarebbe infuriato, ma in prospettiva Caroline non riteneva la cosa molto importante. Dopo quel giorno, probabilmente non l'avrebbero mai più rivisto. Gli avrebbe scritto – è naturale – per ringraziarlo della sua gentilezza. Ma non l'avrebbe mai più rivisto.

Per qualche ragione era importante che lei e Angus, nell'incontrarsi dopo tutti quegli anni, non lo facessero sotto lo sguardo critico di uno sconosciuto. La cosa peggiore di Angus era che non si poteva mai contare su di lui. Era sempre stato l'individuo più imprevedibile del mondo, vago, sfuggente, davvero irritante. Sin dall'inizio aveva nutrito riserve sul progetto folle di venire in Scozia a cercarlo, ma per qualche ragione l'entusiasmo di Jody era stato contagioso. Sicuro com'era che Angus li stesse aspettando, felice di rivederli, ansioso di aiutarli, era riuscito a convincere Caroline laggiù, nell'ambiente sicuro di Londra.

Ma ora, nella luce gelida di un pomeriggio scozzese, riaffiorarono i dubbi. Certo, Angus era allo Strathcorrie Hotel perché lì lavorava, ma il fatto che pulisse le scarpe e portasse la legna non garantiva che non avesse i capelli lunghi, la barba, i piedi scalzi e nessuna intenzione di fare qualcosa per aiutare suo fratello e sua sorella. Immaginò come avrebbe reagito Oliver Cairney davanti a un atteggiamento simile, e capì che non avrebbe sopportato la sua presenza al grande incontro.

C'era, inoltre, il fatto nuovo della morte recente del fratello di Oliver e la sensazione, estremamente imbarazzante, che loro si fossero imposti alla sua gentilezza e approfittato della sua ospitalità generosa in un momento così inopportuno. Non c'era dubbio che prima si fosse liberato di loro, meglio sarebbe stato. Non c'era dubbio che, a quel punto, andare a cercare Angus per conto suo, fosse per Caroline l'unico corso d'azione possibile.

Avanzando a fatica lungo la lunga strada piena di neve, passò il tempo a convincersi che era davvero così.

Stava camminando da oltre un'ora, senza alcuna idea di quante miglia avesse percorso, quando la raggiunse un camion, macinando lentamente il pendio alle sue spalle. Era lo spazzaneve della contea, con l'enorme pala d'acciaio che fendeva la neve come la prua di una nave fende l'acqua, spruzzando una scia spumeggiante di fanghiglia sui lati della strada.

Caroline si tolse di mezzo, arrampicandosi in cima al muro, ma lo spazzaneve si fermò, e l'uomo all'interno aprì la portiera e la chiamò.

«Dove va?»

«A Strathcorrie.»

«Ci sono ancora sei miglia. Vuole un passaggio?»

«Sì, grazie.»

«Venga allora.» Scese dal muretto, e l'uomo tese una mano callosa per aiutarla a salire, spostandosi di lato per farle spazio. Il suo compagno, un uomo molto più vecchio che guidava il camion, disse asciutto: «Spero che non abbia fretta. C'è la neve alta sulla cima della collina».

«Non ho fretta. Mi basta non fare la strada a piedi.»

«Il tempo è schifoso.»

Innestò rumorosamente il pesante cambio, tolse il freno a mano e si misero in moto, ma si procedeva davvero lentamente. A intervalli i due uomini scendevano e spalavano energicamente per un po', sgombrando i mucchi di ghiaia che erano stati lasciati strategicamente ai lati della strada. L'umidità penetrava dai finestrini della vettura, e negli stivali di misura sbagliata i piedi di Caroline divennero due blocchi di ghiaccio.

Ma, superata finalmente l'ultima collina, l'uomo annunciò in tono gentile: «Ecco Strathcorrie». Caroline vide la campagna bianca e grigia digradare ripida davanti a loro in una valle profonda fino a un lungo lago sinuoso, quasi immobile e del colore grigio acciaio del cielo che vi si rifletteva.

Sul lato opposto del lago le colline risalivano, macchiate di nero da gruppi di pini e abeti e, oltre le loro cime poco elevate, si scorgevano altri picchi, una catena di montagne distanti, a nord. Subito sotto, raggruppato attorno alla stretta estremità del lago si trovava il paesino. Lei vide la chiesa e le stradine di case grigie; c'era una piccola darsena con i moli, gli ormeggi e le barchette tirate sul greto per l'inverno.

«Che luogo grazioso!» disse Caroline.

«Sì» disse lo stradino. «Hanno un sacco di turisti nei mesi estivi. Noleggio di barche, pensioncine, roulotte...»

La strada correva in discesa. Lì la neve, chissà perché, non era così alta e ci misero meno tempo. «Dove vuole che la lasciamo?» chiese il conducente.

«All'albergo. Lo Strathcorrie Hotel. Sa dov'è?»

«Sì, lo so bene.»

In paese le strade grigie erano bagnate; la neve si scioglieva nei canali di scolo piombando, con un tonfo morbido, dai cornicioni ripidi. Lo spazzaneve avanzò lungo la strada principale, passò sotto un'arcata gotica ornamentale, costruita per ricordare qualche cerimonia vittoriana dimenticata da molto tempo e si arrestò davanti a un lungo edificio dall'intonaco bianco, con un acciottolato davanti e un'insegna che oscillava sopra la porta: STRATHCORRIE HOTEL. BENVENUTI.

Non c'era segno di vita. «È aperto?» chiese Caroline dubbiosa.

«Sì, certo che è aperto. Solo che non è molto pieno.»

Lei li ringraziò per la loro gentilezza e scese dallo spazzaneve. Mentre quello se ne andava, attraversò la strada e l'acciottolato ed entrò dalla porta girevole. All'interno c'era odore di fumo di sigaretta stagnante e di cavolo bollito. C'era un quadro triste di un capriolo su una collina sotto la pioggia e un bancone con la scritta RECEPTION, ma senza nessuno a ricevere. Tuttavia c'era un campanello che Caroline suonò. Dopo un attimo, da un ufficio, comparve una donna. Indossava un vestito nero e occhiali ornati di strass, e non sembrava troppo contenta di essere interrotta a metà pomeriggio, soprattutto da una ragazza in jeans e impermeabile cerato con una fazzoletto di cotone rosso legato attorno alla testa.

«Sì?»

«Mi dispiace disturbarla, ma potrei parlare con Angus Cliburn?»

«Oh» disse immediatamente la donna «Angus non è qui.» Sembrava piuttosto felice di poter impartire quell'informazione.

Caroline rimase a fissarla. Al di sopra un orologio ticchettava rumoroso. Da qualche parte, sul retro dell'albergo, un uomo incominciò a cantare. La donna si risistemò gli occhiali.

«Era qui, naturalmente» spiegò, come per fare una concessione a Caroline. Esitò e poi disse: «Per caso gli avete mandato un telegramma? C'è un telegramma per lui, ma lui non c'era più quando è arrivato». Aprì un cassetto e tirò fuori la busta arancione. «Ho dovuto aprirlo, vede, e vi avrei fatto sapere che non era qui, ma non c'era nessun indirizzo.»

«No, certo.»

«Era qui, badi bene. Ha lavorato per un mese o più. Dava una mano. Eravamo un po' a corto di personale, sa.»

«Dov'è adesso?»

«Non saprei. È andato con una signora americana, a farle d'autista. Lei soggiornava qui e non aveva l'autista; così, poiché a quel punto avevamo un sostituto per Angus, l'abbiamo lasciato andare. Uno *chauffeur*» aggiunse, come se Caroline non avesse mai udito la parola.

«Quando saranno di ritorno?»

«Fra un giorno o due. Alla fine della settimana ha detto la signora McDonald.»

«La signora McDonald?»

«Sì, la signora americana. Gli antenati di suo marito venivano da questa parte della Scozia. Ecco perché era così ansiosa di andare in giro; ha noleggiato la macchina e ha preso Angus come autista.»

Di ritorno alla fine della settimana. Voleva dire venerdì o sabato. Ma Caroline e Jody dovevano tornare a Londra per venerdì. Non poteva aspettare la fine della settimana. Si sarebbe sposata martedì. Martedì avrebbe sposato Hugh, e doveva essere là; ci sarebbe stata una prova per la cerimonia nuziale lunedì, e Diana si sarebbe messa in agitazione insieme a tutti i presenti.

I suoi pensieri galopparono inutilmente, avanti e indietro, come un cavallo fuggiasco impazzito. Si controllò e si disse che doveva essere pratica. Poi capì che non riusciva a pensare a una sola cosa pratica da dire o da fare. "Ho toccato il fondo." Ecco come si sentiva. Adesso, quando qualcuno le avesse detto «Ho toccato il fondo», Caroline avrebbe capito.

La donna dietro il bancone cominciava a perdere la pazienza per tutti quegli indugi. «Ci teneva particolarmente a vedere Angus?»

«Sì. Sono sua sorella. È piuttosto importante.»

«Da dove è venuta oggi?»

Senza pensarci, Caroline glielo disse. «Da Cairney.»

«Ma sono otto miglia. E la strada è bloccata.»

«Ho camminato per un po'; poi lo spazzaneve mi ha dato un passaggio.»

Dovevano aspettare Angus. Forse potevano stare lì, all'albergo. Se almeno si fosse portata Jody!

«Avreste due stanze libere per noi?»

«Noi?»

«Ho un altro fratello. Non è con me in questo momento.»

La donna apparve dubbiosa, ma disse: «Un istante» e ritornò nel suo ufficio a consultare un certo libro. Caroline si appoggiò al bancone e decise che non serviva a nulla farsi prendere dal panico, faceva solo star male. Faceva venire il vomito.

In quel momento si rese conto che le era ritornata la solita nausea, il dolore lancinante nello stomaco. L'aveva colta di sorpresa, come un mostro orribile che aspettava dietro l'angolo per assalire. Cercò di ignorarlo, ma non era possibile. Il dolore si acuì a velocità spaventosa, come un pallone grandissimo che veniva riempito d'aria. Enorme e così acutamente torturante da annullare la consapevolezza di tutto il resto. Era fatta di dolore, un dolore che si estendeva fino all'estremo orizzonte. Chiuse gli occhi e udì un suono simile al rumore di una sirena lontana.

Poi, quando credeva di non poterlo più sopportare, incominciò a svanire, scivolando via da lei, come un vestito scartato. Dopo un po', aprì gli occhi e si trovò a guardare dritto nel volto inorridito dell'addetta alla reception. Si chiese da quanto tempo fosse lì.

«Va tutto bene?»

«Sì.» Cercò di sorridere. Aveva il volto bagnato di sudore. «Indigestione. Credo. L'ho avuta in precedenza. E poi la camminata...»

«Vado a prenderle un bicchiere d'acqua. Farebbe meglio a sedersi.»

«Sto bene.»

Ma qualcosa non andava nel volto della donna; si

avvicinava e si allontanava in una strana confusione di contorni. Stava parlando; Caroline vedeva la bocca aprirsi e chiudersi, ma non emetteva alcun suono. Caroline stese una mano e afferrò l'orlo del bancone, ma non servì a nulla e l'ultima cosa che ricordò fu il tappeto dal disegno vivace che salì oscillando, urtandola con un colpo sonoro al lato della testa.

5

Oliver non tornò a Cairney fino alle quattro e mezzo. Era stanco. Duncan Fraser, oltre a offrirgli una colazione pesante, aveva insistito a discutere, in tutti gli aspetti, i dettagli finanziari e legali relativi all'acquisto di Cairney. Non era stato trascurato nulla, e la testa di Oliver era stracolma di numeri e dati. Acri, rese, capi di bestiame, il valore dei cottage, le condizioni delle fattorie e dei capanni. Era giusto e necessario, naturalmente, ma lui l'aveva trovato angosciante e aveva percorso il lungo tragitto verso casa attraverso la crescente oscurità del pomeriggio in uno stato di profonda depressione, cercando di accettare la verità: cedendo Cairney, seppure a Duncan, era inevitabile che cedesse qualcosa di sé e troncasse l'ultimo legame con la sua giovinezza.

Quel conflitto interiore l'aveva lasciato privo di energie. Gli faceva male la testa e non riusciva a pensare ad altro che alla pace di casa sua, al conforto della sua poltrona, del suo caminetto e possibilmente di una distensiva tazza di tè.

La casa non era mai apparsa così sicura, così accogliente. Portò la Land Rover in garage, la parcheggiò ed entrò in casa attraverso la cucina. Trovò la signora Cooper all'asse da stiro, ma con gli occhi sulla porta. Quando lui comparve, mandò un sospiro di sollievo e depose il ferro con un colpo.

«Oliver, speravo che fosse lei. Ho sentito la macchina e speravo che fosse lei.»

Qualcosa in quel viso gli fece dire: «Che cosa c'è che non va?».

«È che la sorella del ragazzo è uscita a fare una passeggiata e non è ancora tornata. È quasi buio.»

Oliver rimase lì con indosso il cappotto, e digerì lentamente quell'informazione sgradita.

«Quando se n'è andata?»

«Dopo pranzo. Non che abbia mangiato qualcosa, ha solo piluccato, non ha preso abbastanza da tener viva una pulce.»

«Ma sono... le quattro e mezzo.»

«Appunto.»

«Dov'è Jody?»

«È nella stanza dei ragazzi. Sta bene e non è allarmato. Gli ho portato il tè, a quell'agnellino.»

Oliver aggrottò la fronte. «Dove è andata?»

«Non l'ha detto. "Vado solo a fare una camminatina" ha detto.» Il viso della signora Cooper era contratto dall'ansia. «Pensa che possa essere successo qualcosa?»

«Non mi stupirei» disse Oliver amaramente. «È una tale stupida, sarebbe capace di annegare in una pozzanghera.»

«Oh, poverina...»

«Poverina un corno, è una maledetta scocciatrice» disse Oliver brutalmente.

Stava dirigendosi verso la scala sul retro con l'intenzione di andare a trovare Jody e chiedergli informazioni, quando il telefono incominciò a suonare. La prima reazione di Oliver fu che finalmente le linee erano state riparate, ma la signora Cooper, battendosi la mano sul cuore, disse: «Forse è la polizia».

«Probabilmente niente del genere» disse Oliver, ma uscì dalla cucina più velocemente del solito per andare in biblioteca a rispondere alla chiamata.

«Cairney» disse rauco.

«Cairney House?» Una voce femminile, molto raffinata.

«Sì, parla Oliver Cairney.»

«Oh, signor Cairney, è la signora Henderson dello Strathcorrie Hotel.»

Oliver raccolse le forze. «Sì?»

«C'è qui una signorina, è venuta a cercare suo fratello che lavorava qui...»

"Lavorava?" «Sì?»

«Ha detto che stava a Cairney.»

«È vero.»

«Forse dovrebbe venire a prenderla, signor Cairney. Non sembra star per niente bene. È svenuta e poi ha avuto una gran... nausea.» Pronunciò quella parola con riluttanza come se fosse scortese.

«Come è arrivata a Strathcorrie?»

«Ha camminato per parte della strada, ha detto, e poi le ha dato un passaggio lo spazzaneve.»

Voleva dire perlomeno che la strada era aperta. «Dov'è adesso?»

«L'ho fatta sdraiare... sembrava stare così male.»

«Sa che lei mi ha chiamato?»

«Ho ritenuto più opportuno non dirglielo.»

«Non glielo dica. Non le dica niente. La tenga lì finché non arrivo.»

«Sì, signor Cairney. Mi dispiace moltissimo.»

«Niente affatto. Ha fatto molto bene a chiamare. Eravamo preoccupati. Grazie. Sarò lì quanto prima.»

Caroline era addormentata, quando lui arrivò. No, non addormentata, ma sospesa in quello stato delizioso tra veglia e sonno; al caldo e confortata dal tocco delle coperte. Fino a quando il suono della voce profonda di Oliver non penetrò attraverso il suo sopore come un coltello, svegliandola immediatamente, lucida e cosciente. Ricordò di aver detto che veniva da Cairney e maledì la sua lingua scriteriata. Ma il dolore era passato e il sonno l'aveva ristorata; così, quando, senza nemmeno bussare frettolosamente, Oliver Cairney spalancò la porta e marciò dentro, Caroline era pronta ad affrontarlo con tutte le difese attivate.

«Oh, che vergogna! Ha fatto tutta questa strada, e in realtà va tutto bene. Guardi.» Si alzò a sedere. «Sto benissimo.» Il cappotto grigio e la cravatta nera che Oliver indossava ricordarono a Caroline il fratello morto; così continuò a precipizio: «È solo che ho camminato a lungo, anzi non proprio a lungo perché mi ha dato un passaggio lo spazzaneve». Sbattendo la porta, Oliver venne ad appoggiarsi al telaio di ottone all'estremità del letto. «Ha portato Jody?» chiese lei vivacemente. «Noi possiamo stare qui. Hanno delle stanze e faremmo meglio ad aspettare qui finché non ritorna Angus. È via, vede, solo per due giorni ancora, con una signora americana...»

«Sta' zitta» le ordinò Oliver.

Nessuno aveva mai parlato a Caroline in quel modo prima di allora e lei si zittì del tutto. «Ti avevo detto di rimanere a Cairney. Ad aspettare.»

«Non potevo.»

«Perché no?»

«Perché Jody mi ha raccontato di suo fratello. La signora Cooper l'ha detto a Jody. È stato terribile che noi comparissimo proprio allora. Mi è talmente dispiaciuto... non lo sapevo...»

«Come potevi saperlo?»

«... ma in un momento del genere...»

«Non fa nessuna differenza né in un senso né nell'altro» disse Oliver con brutale franchezza. «Come ti senti adesso?»

«Sto benone.»

«Sei svenuta.» Suonava come un'accusa.

«Che cosa assurda, non svengo mai.»

«Il problema è che non mangi mai niente. Se sei così stupida, ti sta bene se svieni. Ora mettiti l'impermeabile, ti porto a casa.»

«Le ho detto che possiamo stare qui. Aspetteremo Angus qui.»

«Potete aspettare Angus a Cairney.» Andò alla sedia e raccolse l'impermeabile nero.

Caroline aggrottò la fronte. «Se non volessi venire? Nulla me lo impone.»

«Se per una volta facessi come ti si dice? Se per una volta pensassi a qualcun altro oltre che a te stessa? La signora Cooper aveva il volto terreo, quando sono ritornato, a furia di immaginarsi tutte le possibili disgrazie.»

Lei si sentì in colpa. «E Jody?»

«Sta bene. L'ho lasciato che guardava la televisione. Allora, vieni?»

Non c'era altro da fare. Caroline scese dal letto, lasciò che l'aiutasse a indossare l'impermeabile, infilò i piedi negli stivali di gomma e lo seguì docilmente di sotto.

«Signora Henderson!»

Lei apparve dall'ufficio, rimanendo dietro il bancone come una commessa cortese.

«Oh, l'ha trovata, signor Cairney! Bene.» Alzò il pannello ribaltabile del bancone e andò loro incontro. «Come si sente, cara?» chiese a Caroline.

«Sto bene.» E, quasi ci avesse ripensato, aggiunse: «Grazie» sebbene fosse difficile perdonare alla signora Henderson di aver telefonato a Oliver.

«Nessun disturbo. Quando tornerà Angus...»

«Gli dica che sua sorella è a Cairney» intervenne Oliver.

«Certo. Sono felice che si senta meglio.»

Caroline si diresse verso la porta. Alle sue spalle Oliver ringraziò ancora una volta la signora Henderson. Poi entrambi uscirono nel freddo, soffice crepuscolo ventoso, e lei si arrampicò di nuovo, sconfitta, sulla Land Rover.

Percorsero la strada in silenzio. L'atteso disgelo aveva trasformato la neve in fanghiglia e la strada oltre la collina era relativamente sgombra. In alto, un vento proveniente da occidente spingeva da parte le nuvole grigie, liberando aree di cielo splendente color zaffiro. Attraverso il finestrino aperto della Land Rover entrava l'odore di erba e di torba umida. Alcuni chiurli si alzarono in volo dalle rive di un laghetto circondato di canne. Presto gli alberi spogli sarebbero stati in boccio; la primavera, tanto attesa, era davvero alle soglie.

A Caroline venne in mente quella sera a Londra, mentre andava all'Arabella con Hugh. Si ricordò delle luci della città che si riflettevano arancioni nel cielo, di quando aveva abbassato il finestrino perché il vento le soffiasse nei capelli, e di come aveva desiderato di essere in campagna. Era stato appena tre o quattro giorni prima, eppure sembrava una vita. Come se fosse successo a un'altra ragazza in un'altra epoca.

Un'illusione. Lei era Caroline Cliburn con un sacco di problemi irrisolti da affrontare. Era Caroline Cliburn e sarebbe dovuta ritornare a Londra prima che si scatenasse l'inferno. Era Caroline Cliburn e avrebbe sposato Hugh Rashley. Martedì.

Era un fatto vero e reale. Per rendersene conto meglio, pensò alla casa di Milton Gardens inondata dai regali di nozze. L'abito bianco, appeso nell'armadio, i ristoratori che arrivavano con i tavoli a cavalletto e le tovaglie inamidate di damasco bianco. Pensò ai bicchieri di champagne ammassati come bolle di sapone, ai bouquet di gardenie, allo schiocco dei tappi di bottiglia e alla convenzionalità dei discorsi; pensò a Hugh, il rispettoso e organizzato Hugh, che non si era mai spinto ad alzare la voce con Caroline, tanto meno per dirle di stare zitta.

Quell'ordine le bruciava ancora. Infuriata da un tale ricordo, lei attizzò la fiamma del suo risentimento. Risentimento verso Angus, per averla delusa proprio quando aveva più bisogno di lui, prendendo il volo in una macchina con una vecchia vedova americana, senza lasciare nessun indirizzo, nessuna data di arrivo, niente di definito. Risentimento verso la signora Henderson, con i suoi occhiali ornati di strass e quell'aria di efficienza umile, che aveva telefonato a Oliver Cairney quando l'ultima cosa che Caroline voleva era che lui interferisse di nuovo. Rancore verso lo stesso Oliver, quell'uomo autoritario che si era assunto più responsabilità di quante si potessero giustificare in nome dell'ospitalità.

La Land Rover superò la cresta della collina; la strada scendeva davanti a loro, riconducendoli a Cairney. Oliver cambiò marcia e le gomme fecero presa con forza nella neve marcia. Il silenzio tra loro era colmo della disapprovazione di Oliver. Se almeno avesse detto qualcosa, qualunque cosa! Tutto il suo risentimento si concentrò in una irritazione rivolta contro di lui. Crebbe finché non divenne incontenibile; alla fine disse glaciale: «È ridicolo».

«Che cosa è ridicolo?» La voce gelida di lui si accordava alla sua.

«Tutta la situazione. Ogni cosa.»

«Non conosco a sufficienza la situazione per poterla commentare. A dire il vero, a parte il fatto di sapere che tu e Jody siete comparsi a Cairney durante una tormenta di neve, non so altro.»

«Non sono affari che la riguardano» disse Caroline in un tono più scortese di quanto avesse voluto.

«Ma sono affari miei evitare che tuo fratello non abbia a soffrire per un'altra delle tue idiozie.»

«Se Angus fosse stato a Strathcorrie...»

Non la lasciò finire. «Sono solo ipotesi. Non c'era. E ho la strana impressione che tu non ne sia stata troppo sorpresa. Che tipo di persona è?» Caroline mantenne quello che sperava fosse un dignitoso silenzio. Oliver disse: «Capisco» con il tono compiaciuto di chi la sa lunga.

«Oh, no, non capisce. Non sa niente di lui. Come può capire?»

«Sta' zitta» disse Oliver imperdonabilmente, per la seconda volta. Caroline gli voltò le spalle e guardò fuori dal finestrino sempre più scuro per non fargli vedere o indovinare le lacrime pungenti che di colpo le avevano riempito gli occhi.

Nel crepuscolo la casa si ergeva solida; da dietro le tende chiuse si diffondeva il chiarore giallo delle lampade. Oliver fermò la Land Rover davanti alla porta e scese. Lentamente, con riluttanza, scese anche Caroline, lo seguì su per i gradini e lo oltrepassò quando lui si fece da parte, tenendo la porta aperta, lasciandole il passo. Sentendosi una bambina capricciosa che era stata rimproverata, non voleva guardarlo. La porta si chiuse sbattendo dietro di loro e immediatamente, come se quel rumore fosse un segnale, giunse il suono della voce di Jody. Una porta si aprì, si udirono i suoi passi percorrere il corridoio dalla cucina. Apparve di corsa e si bloccò, quando vide che c'erano soltanto due persone. Gli occhi andarono alla porta dietro Caroline e poi ritornarono sul suo viso. Si immobilizzò.

«Angus?» chiese.

Si era aspettato che lei portasse indietro Angus.

«Angus non c'era» spiegò Caroline, odiando il fatto di doverglielo dire.

Ci fu un momento di silenzio. Poi Jody disse con noncuranza: «Non l'hai trovato».

«È stato là a lavorare, ma è andato via per alcuni giorni.» E aggiunse, cercando di suonare ottimista: «Sarà di ritorno. In un giorno o due. Non c'è motivo di preoccuparsi».

«La signora Cooper ha detto che non stavi bene.»

«Ma no» disse Caroline rapidamente.

«Ha detto...»

Oliver interruppe. «Quello che non va con tua sorella è che non fa mai quello che le si dice e non mangia niente.» Sembrava veramente irritato. Jody l'osservò, mentre si slacciava il cappotto di tweed e lo gettava sull'estremità della balaustra. «Dov'è la signora Cooper?»

«In cucina.»

«Va' a dirle che è tutto a posto. Ho riportato a casa Caroline, sta per andare a letto e mangiare qualcosa per cena e domani starà benone.» E poiché Jody esitava ancora, Oliver gli si avvicinò, lo fece girare su se stesso e gli diede una spinta gentile nella direzione da cui era apparso. «Forza. Non c'è niente di cui preoccuparsi. Te lo assicuro.»

Jody se ne andò. La porta della cucina si chiuse; udirono in lontananza la sua voce che riportava il messaggio. Oliver si rivolse a Caroline.

«E ora» disse con ingannevole gentilezza «va' di sopra a letto. La signora Cooper ti porterà un po' di cena su un vassoio. Non c'è altro.»

Il suo tono di voce accese in Caroline una vecchia, rara ostinazione, un'ostinazione che, di tanto in tanto nell'infanzia, le aveva permesso di averla vinta, un'ostinazione che aveva avuto la meglio sull'opposizione della sua matrigna a che si iscrivesse alla scuola di recitazione. Forse Hugh aveva individuato presto questo lato del suo carattere, poiché l'aveva sempre trattata con tatto, convincendola con le buone, persuadendola, tirandola con un filo sottile quando lei non voleva farsi guidare.

In quel momento le venne l'idea di fare una terribile scenata, ma, poiché Oliver Cairney continuava a rimanere lì, in attesa, educatamente implacabile, la determinazione le venne meno. Nel cercare scuse per la resa, si disse di essere stanca, troppo stanca per ulteriori discussioni. Il pensiero del letto, del calore e della tranquillità fu di colpo molto allettante. Senza una parola, gli voltò le spalle e salì di sopra, un gradino alla volta, facendo scorrere la mano sul lungo corrimano lucido.

Quando se ne fu andata, Oliver ritornò in cucina dove trovò la signora Cooper che preparava la cena, e Jody al tavolo rustico, alle prese con un puzzle che, terminato, avrebbe raffigurato una vecchia locomotiva a vapore.

Oliver ricordava quel puzzle, ricordava di averlo fatto con l'aiuto di sua madre e di Charles. Rammentò i lunghi pomeriggi di brutto tempo, aspettando che la pioggia smettesse per poter uscire di nuovo a giocare.

Si chinò sulla spalla di Jody. «Stai andando molto bene» gli disse.

«Non riesco a trovare il pezzetto con il cielo e la parte di un ramo. Se lo trovassi, potrei attaccarci quell'altro gruppetto.»

Oliver incominciò a cercare il pezzo sfuggente. Dalla stufa la signora Cooper chiese: «La signorina sta bene?».

Oliver non alzò lo sguardo. «Sì, sta bene. È andata a letto.»

«Che cosa le è successo?» chiese Jody.

«È svenuta e ha vomitato.»

«Odio vomitare.»

Oliver sogghignò. «Anch'io.»

«Sto passando al setaccio una bella tazza di brodo» disse la signora Cooper. «Quando non si sta bene, l'ultima cosa che si desidera è una cena che rimane sullo stomaco.»

Oliver disse di essere proprio d'accordo. Scovò il pezzo mancante del puzzle e lo porse a Jody.

«Che ne dici di questo?»

«Eccolo!» Jody era entusiasta dell'intelligenza di Oliver. «Oh, grazie, ho continuato a guardare quel pezzo senza accorgermi che era quello giusto.» Alzò gli occhi per sorridere. «Aiuta essere in due a farlo, non è vero? Continuerai ad aiutarmi?»

«In questo momento voglio fare il bagno e bere un drink. Ceneremo insieme, tu e io. Dopo cena vedremo se riusciremo a finire il puzzle.»

«Era tuo?»

«Mio, o di Charles, non ricordo.»

«È un treno buffo.»

«Le locomotive a vapore erano stupende. Facevano un rumore magnifico.»

«Lo so. Le ho viste nei film.»

Fece il bagno, si vestì e si diresse di sotto, verso la biblioteca e il drink che si era ripromesso, quando si ricordò, improvvisamente, che quella sera stessa avrebbe dovuto cenare a Rossie Hill. Per quanto sbalordito, lo stupiva ancora di più l'aver completamente dimenticato l'appuntamento. Ma, pur avendo visto Duncan Fraser a pranzo e avendo persino parlato della cena in programma, gli avvenimenti frenetici del pomeriggio e della sera erano riusciti a fargliela uscire di mente.

A quel punto erano le sette e mezzo, e lui indossava non un completo da sera, ma un vecchio maglione a polo e un paio di pantaloni di velluto stinti. Per un attimo esitò, tirandosi il labbro inferiore e riflettendo sul da farsi, ma alla fine si decise pensando a Jody, che aveva trascorso un pomeriggio brutto e solitario, alla promessa di tenergli compagnia quella sera e di aiutarlo con il puzzle. Ciò risolse la questione. Si recò in biblioteca, sollevò il ricevitore e compose il numero di Rossie Hill. Dopo un attimo proprio Liz rispose al telefono.

«Pronto.»

«Liz.»

«Oh, Oliver, telefoni per dire che arrivi in ritardo? Perché se è così, non importa, ho dimenticato di mettere in forno il fagiano e poi...»

«No, non ho telefonato per quello» la interruppe. «Ho telefonato per disdire l'invito. Non ce la faccio.»

«Ma... io... papà ha detto...», poi in tono assai diverso: «Stai bene?». Parlava come se lui fosse potuto impazzire di colpo. «Non sei ammalato o qualcosa del genere?»

«No. È solo che non ce la faccio... Ti spiegherò...»

«Ha qualcosa a che fare con la ragazza e il ragazzo che hai ospiti a Cairney?» chiese in tono freddo.

Oliver ne fu sorpreso. Non aveva detto niente a Duncan dei Cliburn senza intenzione di nascondere qualcosa, ma semplicemente perché c'erano stati altri argomenti più importanti di discussione. «Come fai a saperlo?»

«Il solito tam-tam della valle. Non dimenticare che la nostra signora Douglas è la sorella di Cooper. Non si possono tenere segreti quassù, Oliver. Dovresti saperlo a questo punto.»

Lui si risentì vagamente, come se fosse accusato di imbrogliare.

«Non è un segreto.»

«Sono ancora lì?»

«Sì.»

«Dovrò venire a investigare. Mi incuriosisce.»

Ignorando le insinuazioni nella sua voce, Oliver fece cadere l'argomento. «Mi perdoni di essere stato così scortese questa sera e di aver disdetto un appuntamento con così poco anticipo?»

«Non importa. Si presentano di tanto in tanto

piccoli contrattempi. Significa che io e papà mangeremo più fagiano. Vieni un'altra sera.»

«Se tu mi inviterai.»

«Ti invito adesso.» Ma la voce era ancora seccata. «Non appena la tua vita sociale sarà sistemata, ti basta darmi un colpo di telefono.»

«Lo farò» disse Oliver.

«Arrivederci, allora.»

«Arrivederci.»

Ma, prima che fosse riuscito a dirlo, lei aveva già riattaccato e interrotto la comunicazione.

Era irritata, e a ragione. Oliver pensò con malinconia al tavolo apparecchiato con cura, alle candele, al fagiano e al vino. Una cena a Rossie Hill non era mai, in nessun momento, un'occasione da disprezzare. Imprecò sotto voce, odiando quella giornata, desiderando che si concludesse. Si versò un drink più forte del solito, vi aggiunse uno schizzo di soda, ne bevve un po' distrattamente e poi, sentendosi remotamente confortato, si accinse a cercare Jody.

Ma non andò così lontano. Incontrò in corridoio la signora Cooper con un vassoio in mano. C'era una strana espressione sul suo viso, quasi furtiva. Quando lo vide, accelerò il passo per raggiungere la porta della cucina prima che le si accostasse.

«Che cosa c'è che non va, signora Cooper?»

Con la schiena appoggiata alla porta oscillante, lei si fermò, con un'espressione angosciata.

«Non vuole mangiare neanche un boccone, Oliver.» Lui guardò il vassoio, poi tolse il coperchio dalla scodella. Il vapore si alzò in una nuvola deliziosa. «Ho fatto del mio meglio, le ho detto quello che mi ha detto lei, ma non vuole saperne. Dice che ha paura di vomitare ancora.»

Oliver appoggiò il coperchio sulla scodella, il bicchiere di whisky sul vassoio, poi tolse il tutto dalle mani della signora Cooper.

«Vedremo» disse.

Non era più stanco e depresso, era solo arrabbiatissimo. Indicibilmente esasperato. Marciò di sopra, due gradini alla volta, percorse il corridoio e irruppe nella stanza degli ospiti di Cairney, senza minimamente bussare alla porta. Caroline era sdraiata nel mezzo dell'enorme letto matrimoniale con il piumino rosa, i cuscini sparpagliati sul pavimento, avvolta dalla luce fioca di una lampada dal paralume rosa sul comodino.

Vederla così accrebbe solo la sua irritazione. Era una ragazza tremenda, gli era piombata in casa, aveva messo tutto sottosopra, gli aveva rovinato la serata e infine se ne stava sdraiata nel letto degli ospiti rifiutandosi di mangiare e facendo impazzire tutti. Attraversò la stanza a grandi passi e appoggiò il vassoio con energia sul comodino. La lampada si mosse leggermente; il suo whisky si agitò e schizzò fuori.

Lei l'osservò dal letto con un'aria risoluta, gli occhi sgranati, i capelli sciolti e arruffati come matasse di seta morbida. Senza una parola, Oliver incominciò a raccogliere i cuscini, poi la tirò su a sedere e li ficcò dietro la schiena, come se lei fosse una bambola di stracci incapace di star seduta per conto suo.

L'espressione di Caroline era ribelle, il labbro inferiore gonfio come quello di una bambina viziata. Lui prese il tovagliolo dal vassoio e glielo legò attorno al collo, come se avesse l'intenzione di strozzarla. Tolse il coperchio dalla scodella della minestra.

«Se mi fa mangiare quella roba, vomiterò» annunciò staccando bene le parole.

Oliver prese il cucchiaio. «Se vomiti, ti picchio.»

Il labbro inferiore le tremò di fronte all'ingiustizia di una simile minaccia. «Subito o quando starò di nuovo bene?» chiese risentita.

«Tutte e due le volte» disse Oliver brutalmente. «Adesso apri la bocca.»

Quando obbedì, più per stupore che altro, lui vi versò la prima cucchiaiata. Nel trangugiarla, lei soffocò leggermente e gli lanciò uno sguardo di supplica e di rimprovero davanti al quale Oliver si limitò ad alzare un sopracciglio in avvertimento. La seconda cucchiaiata andò giù. E la terza. E la quarta. A quel punto Caroline aveva incominciato a piangere. In silenzio i suoi occhi si riempirono di lacrime che traboccarono e le scesero lungo le guance. Oliver le ignorò, dandole il brodo implacabilmente. Quando ebbe finito la zuppa, era inondata di lacrime. Deposta la scodella vuota sul vassoio, le disse senza compassione: «Come vedi, non hai vomitato».

Caroline fece un gran singhiozzo, incapace di replicare. Tutt'a un tratto il malumore di Oliver svanì, ebbe voglia di sorridere, si sentì pieno di un'allegria tenera e assurda. Lo scoppio finale di rabbia aveva schiarito l'aria intorno come un temporale; si sentì improvvisamente calmo e rilassato, con le preoccupazioni e frustrazioni della giornata messe in giusta prospettiva. Rimanevano soltanto quella stanza graziosa, tranquilla, il chiarore della lampada dal paralume rosa, il resto del suo whisky nel bicchiere, e Caroline Cliburn, finalmente nutrita e sottomessa.

Le tolse gentilmente il tovagliolo dal collo e glielo porse. «Forse» suggerì «potresti usarlo come fazzoletto.»

Gli lanciò uno sguardo riconoscente e lo prese, si asciugò le guance, gli occhi e infine si soffiò vigorosamente il naso. Una ciocca di capelli vicino alla guancia era bagnata di lacrime e lui allungò il dito per rimetterla a posto, dietro l'orecchio.

Fu un piccolo gesto istintivo di conforto, non premeditato, ma il contatto fisico inaspettato diede inizio a una reazione a catena. Per un attimo il viso di Caroline fu soffuso di stupore, poi sopravvenne una sensazione di sollievo incontenibile. Come se fosse la cosa più naturale del mondo, si chinò in avanti e premette la fronte contro la lana ruvida del maglione di Oliver, e lui, senza pensarci, le cinse con le braccia le spalle sottili e l'attirò a sé, la cima della testa serica sotto il suo mento. Sentiva la fragilità di lei, le sue ossa, il battito del suo cuore. «Sarà ora che mi dica di che cosa si tratta, non è vero?» le disse dopo un po'.

Caroline annuì, battendo la testa sul petto di lui. «Sì» disse con voce soffocata. «Credo proprio di sì.»

Incominciò da dove era incominciato tutto, da Aphros. «Siamo andati a vivere lì dopo che morì mia madre. Jody era solo un bambino, sapeva parlare il greco prima di parlare l'inglese. Mio padre, un architetto, era andato là per progettare case, ma gli inglesi avevano incominciato a scoprire Aphros e a voler vivere lì e lui aveva finito per essere una specie di agente immobiliare, che comprava case e le controllava, mentre venivano ristrutturate e via dicendo. Forse se fosse stato allevato in Inghilterra, Angus sarebbe stato diverso. Non lo so. Ma noi siamo andati alle scuole locali perché mio padre non poteva permettersi di farci studiare in patria.»

Si interruppe e incominciò a cercare di spiegarsi

a proposito di Angus. «Ha sempre vissuto una vita molto libera. Mio padre non si è mai preoccupato di noi o di dove eravamo. Sapeva che eravamo al sicuro. Angus trascorreva la maggior parte del tempo con i pescatori, e dopo aver finito la scuola, se n'è rimasto a Aphros e a nessuno è mai venuta l'idea che potesse trovarsi un lavoro. E poi è arrivata Diana.»

«La tua matrigna.»

«Sì. È venuta sull'isola a comprare una casa e ha chiesto a mio padre di farle da agente. Ma non ha mai comprato la casa perché invece l'ha sposato ed è venuta a vivere con noi.»

«Le cose sono cambiate allora?»

«Per Jody sì, e per me. Non per Angus. Per Angus mai.»

«Ti era simpatica?»

«Sì.» Caroline piegò l'orlo del lenzuolo con attenzione, con pignoleria, come se fosse uno di quei compiti di precisione voluti da Diana, da svolgere esattamente secondo i suoi criteri. «Sì, mi era simpatica. E anche a Jody. Ma Angus era troppo vecchio per farsi influenzare da lei... e lei era troppo intelligente per cercare di influenzarlo. Quando morì mio padre, lei disse che dovevamo tornare tutti a Londra, ma Angus non volle venire. Non volle nemmeno rimanere a Aphros. Comprò una Mini Moke di seconda mano e andò in India, attraverso la Siria e la Turchia. Ricevevamo sue cartoline da posti esotici e nient'altro.»

«Voi siete ritornati a Londra?»

«Sì. Diana aveva una casa a Milton Gardens. È dove viviamo tuttora.»

«E Angus?»

«È venuto lì una volta, ma non ha funzionato. Ha

fatto una tremenda litigata con Diana perché lui non voleva adeguarsi, tagliarsi i capelli, farsi la barba, mettersi le scarpe. Sai com'è. E comunque, a quel punto, Diana si era risposata, con un vecchio fidanzato, Shaun Carpenter. Così adesso è la signora Carpenter.»

«E il signor Carpenter?»

«È gentile, ma non è un carattere abbastanza forte per Diana. L'ha sempre vinta lei, manipola la gente, noi tutti, a dire il vero. Ma lo fa nel modo più rispettoso possibile. È difficile da descrivere.»

«E tu che cosa hai fatto in tutto questo tempo?»

«Ho finito gli studi e poi sono andata alla scuola di recitazione.» Guardò Oliver con il fantasma di un sorriso. «Diana non voleva. Aveva paura che potessi trasformarmi in una hippy o drogarmi o diventare come Angus.»

Oliver ridacchiò. «È quello che ti è successo?»

«No. Ma diceva anche che non avrei resistito a quel tipo di vita e ha avuto ragione. Voglio dire, ho finito tranquillamente la scuola di recitazione e ho persino trovato lavoro in una compagnia di giro, ma a quel punto...» Si fermò. Il viso di Oliver era stranamente gentile, i suoi occhi pieni di comprensione. Era facile parlargli. Non aveva capito quanto fosse facile parlargli. Per tutto il giorno non aveva fatto altro che segnalarle in tutti i modi possibili che la considerava una sciocca, ma istintivamente lei capì che non le avrebbe dato della sciocca solo perché si era innamorata dell'uomo sbagliato. «Be', ho avuto una storia con un uomo. Ero stupida, immagino, e ingenua, e ho pensato che volesse stare con me. Ma gli attori sono creature decise, e lui ci teneva molto alla carriera, era ambizioso. Se n'è andato altrove e mi ha lasciato indietro. Si chiamava Drennan Colefield e ora è piuttosto famoso. Forse hai sentito parlare di lui...»

«Sì.»

«Ha sposato un'attrice francese. Penso che vivano a Hollywood. Farà una bella serie di film. Dopo Drennan tutto è andato male; ho preso la polmonite e alla fine ho rinunciato a tutto.»

Ricominciò a piegare il lenzuolo. «E Angus?» insistette Oliver con gentilezza. «Quando è comparso in Scozia?»

«Jody ha ricevuto una sua lettera una settimana o due fa. Ma non ne ha parlato fino allo scorso sabato sera.»

«Perché è così importante rivederlo?»

«Perché Diana e Shaun partiranno per il Canada. Shaun ha ottenuto questo trasferimento e loro partiranno non appena... be', molto presto. Porteranno Jody con loro. Jody non vuole andare, sebbene Diana non lo sappia. Me l'ha confidato e mi ha chiesto di portarlo in Scozia a cercare Angus. Pensa che, se Angus venisse ad abitare a Londra, non sarebbe costretto a partire.»

«Ci sono buone probabilità che succeda?»

Caroline disse con desolante sincerità: «Non molte. Ma dovevo provare. Per amore di Jody dovevo provare».

«Jody non potrebbe stare con te?»

«No.»

«Perché no?»

Caroline scrollò le spalle. «Non funzionerebbe. E Diana non sarebbe mai d'accordo. Ma Angus è diverso. Adesso Angus ha venticinque anni. Se Angus volesse tenere Jody, Diana non potrebbe fermarlo.»

«Capisco.»

«E così siamo andati a cercarlo. Abbiamo preso in prestito l'auto di Caleb Ash, è un amico di papà che vive a Londra nell'appartamento in fondo al giardino di Diana. Gli piace Diana, ma non credo che approvi il modo in cui lei organizza tutti noi e dirige le nostre vite. Ecco perché ci ha prestato la macchina, a condizione che gli dicessimo dove eravamo diretti.»

«Non l'avete detto a Diana?»

«Abbiamo detto che stavamo andando in Scozia. Ecco tutto. Le abbiamo lasciato una lettera. Se le avessimo detto di più, ci avrebbe raggiunto molto prima che arrivassimo qui. È fatta così.»

«Non sarà terribilmente preoccupata per voi?»

«Immagino di sì. Ma abbiamo detto che saremmo ritornati venerdì.»

«Non sarà così, se Angus non ritorna subito.»

«Lo so.»

«Non pensi che sarebbe una buona idea telefonarle?»

«No. Non ancora. Per amore di Jody, non dobbiamo.»

«Lei lo capirebbe sicuramente.»

«Per certi aspetti, ma non del tutto. Se Angus fosse un tipo di persona diversa...» La voce le si affievolì, senza speranza.

«Allora che cosa abbiamo intenzione di fare noi?» chiese Oliver.

Il "noi" la disarmò. «Non lo so» disse, ma l'espressione disperata se ne era andata dal suo viso. E poi, speranzosa, suggerì: «Aspettare?».

«Per quanto?»

«Fino a venerdì. Poi, te lo prometto, chiameremo Diana e torneremo a Londra.»

Oliver valutò l'idea e alla fine, con una certa riluttanza, si mostrò d'accordo. «Non che io approvi» aggiunse.

Caroline sorrise. «Non è una novità. Irradi disapprovazione sin da quando abbiamo varcato la tua porta.»

«Ho qualche motivo, devi ammetterlo.»

«L'unica ragione per cui sono andata a Strathcorrie oggi è stato perché ho saputo di tuo fratello. Non sarei andata se non fosse stato per quello. Mi sono sentita terribilmente a disagio, quando ho saputo che eravamo comparsi in un momento così tragico.»

«Non è più tragico adesso. È tutto finito.»

«Che cosa hai intenzione di fare?»

«Vendere Cairney e ritornare a Londra.»

«Non è triste?»

«È triste, ma non è la fine del mondo. Cairney, per come la ricordo, è nella mia testa, indistruttibile. Non è tanto la casa quanto le cose che vi si sono svolte. I puntelli di una vita molto felice. Non ne perderò nessuno, anche se vivrò fino a tarda età, avrò i capelli bianchi e sarò senza denti.»

«Come Aphros» disse Caroline. «Aphros è così per me e per Jody. Tutte le cose belle che mi capitano sono belle perché mi ricordano Aphros. Il sole, le case bianche, il cielo blu, i venti che spazzano il mare, il profumo dei pini e i gerani nei vasi. Com'era tuo fratello? Era come te?»

«Era caro, il ragazzo più caro del mondo e non era come me.»

«Com'era?»

«Con i capelli rossi, lavoratore e impegnato fino

al collo a Cairney. Sapeva dirigere la fattoria. Era una brava persona.»

«Se Angus fosse stato così, le cose sarebbero state molto diverse.»

«Se Angus fosse stato come mio fratello Charles, voi due non sareste mai venuti in Scozia a cercarlo, non sareste mai venuti a Cairney e allora io non vi avrei mai conosciuto.»

«Il che non è una buona cosa.»

«Ma senza dubbio è quello che la signora Cooper chiamerebbe "un'esperienza".»

Risero insieme. La loro risata fu interrotta da qualcuno che bussava alla porta, e quando Caroline disse: «Avanti», la porta si aprì e Jody fece capolino.

«Jody!»

Entrò lentamente nella stanza. «Oliver, la signora Cooper dice di riferirti che la cena è pronta.»

«Santo cielo, è già ora?» Oliver guardò il suo orologio. «Bene, vengo.»

Jody si accostò alla sorella. «Ti senti meglio adesso?»

«Sì, molto meglio.»

Oliver si alzò, prese il vassoio vuoto e si avviò verso la porta. «Come va il puzzle?» chiese.

«Ne ho fatto un altro pezzo, ma non molto.»

«Staremo svegli tutta notte finché non è finito.» E, rivolto a Caroline: «Dormi adesso. Ci rivediamo domani mattina».

«Buona notte» disse Jody.

«Buona notte, Jody.»

Quando se ne furono andati, lei spense la lampada del comodino. Oltre la finestra aperta e le tende tirate a metà splendeva la luce delle stelle. Un chiurlo lanciava il suo richiamo e una brezza leggera spirava fra gli alti pini. Caroline era già prossima al sonno, ma prima che finalmente si addormentasse, le vennero in mente due pensieri importanti e complicati.

Il primo era che dopo tutto quel tempo la sua storia con Drennan Colefield era finalmente conclusa. Aveva parlato di lui, detto il suo nome, ma l'incantesimo era passato. Faceva parte del passato adesso, era morto e sepolto, e le sembrava che un grosso peso le fosse stato tolto dalle spalle. Era di nuovo libera.

Il secondo pensiero la confondeva ancora di più. Perché, sebbene avesse raccontato tutto a Oliver, per qualche ragione non era stata capace di parlare di Hugh. Sapeva che doveva esserci una ragione. . c'era una ragione per tutto... ma si addormentò prima che ci fosse il tempo per incominciare a capirla.

6

Il mattino seguente era aprile, e primavera. Tutto a un tratto la primavera era arrivata. Il vento cessò, il sole sorse in un cielo senza nuvole, il barometro salì notevolmente e così fece la temperatura. L'aria fragrante e mite profumava di terra appena smossa. La neve si sciolse del tutto, rivelando gli ultimi bucaneve, i primi minuscoli crochi e, sotto le betulle, tappeti di vivaci aconiti gialli. Gli uccelli cantavano, le porte erano aperte ad accogliere quel tepore; sui fili del bucato sventolavano tende e coperte e altre prove delle pulizie di primavera.

A Rossie Hill, attorno alle dieci del mattino, il telefono incominciò a squillare. Duncan Fraser era fuori, ma Liz era nella serra a sistemare un vaso di rametti di salice e di alti narcisi King Arthur. Depose le cesoie, si asciugò le mani e andò a rispondere al telefono.

«Pronto?»

«Elizabeth!»

Era sua madre da Londra, con una voce piena di curiosità e Liz aggrottò la fronte. Ancora offesa per il brusco rifiuto di Oliver della sera prima, non era di conseguenza dell'umore migliore.

Elaine Haldane, tuttavia, non poteva saperlo. «Cara, è così insolito telefonare di mattina, ma è solo che dovevo sapere come è andato tutto. Sapevo che non mi avresti chiamato. Come è andata la cena?»

Liz, rassegnata, avvicinò una sedia e ci si buttò sopra.

«Non è andata» disse.

«Che cosa vuoi dire?»

«All'ultimo momento Oliver non è potuto venire. La cena non si è mai svolta.»

«Oh tesoro, che delusione, e io che avevo un tale desiderio di farmi raccontare tutto! Sembravi così entusiasta.» Rimase in attesa e poi, visto che sua figlia non forniva altre informazioni, aggiunse incerta: «Non avete litigato o qualcosa del genere?».

Liz rise brevemente. «No, certo che no. È solo che lui non ce l'ha fatta. È occupato, credo. Papà l'ha invitato a pranzo ieri, e hanno parlato di affari per tutto il tempo. A proposito, papà ha intenzione di comprare Cairney.»

«Be', questo almeno lo terrà occupato» disse Elaine, in tono stizzoso. «Povero Oliver, che prospettiva! Sta attraversando un periodo molto difficile. Sii paziente, cara, e molto comprensiva.»

Liz non voleva più parlare di Oliver. Per cambiare discorso chiese: «Che cosa sta succedendo nella metropoli?».

«Di tutto. Non torneremo a Parigi per un'altra settimana o due. Parker è occupato con alcuni vigili del fuoco in visita da New York, così stiamo qui. È divertente vedere la gente, sentire le novità. Oh, ecco quello che devo dirti. È successa la cosa più incredibile.»

Riconoscendo il tono pettegolo nella voce di sua

madre, Liz capì che la telefonata sarebbe durata per almeno altri dieci minuti. Prese una sigaretta e si mise comoda ad ascoltare.

«Conosci Diana Carpenter e Shaun? Be', i figliastri di Diana sono scomparsi. Sì, letteralmente scomparsi. Dalla faccia della terra. Si sono limitati a lasciare una lettera per dire che erano andati in Scozia – con tutti i posti che ci sono! – a cercare il fratello, Angus. Naturalmente lui è un hippy dei più terribili; Diana ha passato un periodo di tremende preoccupazioni con lui. Trascorre il tempo a cercare la verità in India o dove diavolo credono di trovarla quelli come lui. Pensavo che la Scozia fosse l'ultimo posto dove andare, non c'è niente se non tessuti tweed e salsicce di pecora. Devo dire che ho sempre considerato Caroline una ragazza piuttosto strana. Ha provato a fare l'attrice una volta, ed è stato un terribile fallimento, ma non avrei mai creduto che avrebbe fatto qualcosa di così bizzarro come sparire in questo modo.»

«Che cosa fa Diana?»

«Mia cara, che cosa può fare? L'ultima cosa che vuole fare è chiamare la polizia. Dopo tutto, sebbene il ragazzo sia solo un bambino, la ragazza si presume che sia un'adulta... dovrebbe essere in grado di prendersi cura di lui. Diana è terrorizzata dall'idea che i giornali si buttino sulla storia e la sbattano sulle prime pagine delle edizioni della sera. E come se non fosse abbastanza martedì c'è il matrimonio, e Hugh ha una certa reputazione professionale da mantenere.»

«Il matrimonio?»

«Il matrimonio di Caroline.» Elaine sembrava esasperata come se Liz stesse facendo la stupida.

«Caroline sposa il fratello di Diana, Hugh Rashley. Martedì. Le prove per il matrimonio sono lunedì, e loro non sanno nemmeno dove sia. È tutto estremamente angosciante. Ho sempre pensato che fosse una strana ragazza, e tu?»

«Non lo so. Non l'ho mai conosciuta.»

«No, è vero, mai. Me lo dimentico sempre. Che sciocca. Ho sempre pensato che volesse piuttosto bene a Diana, non avrei mai immaginato un simile comportamento. Oh, cara, non mi farai questo, non è vero, quando alla fine ti sposerai? Speriamo che sia molto presto e con l'uomo giusto. Non facciamo nomi, ma sai a chi penso. Ora devo proprio andarmene. Ho un appuntamento dal parrucchiere e sono già in ritardo. Tesoro, non agitarti per Oliver; va' a trovarlo e sii gradevole e comprensiva. Sono sicura che tutto andrà bene. Ho voglia di vederti. Torna presto.»

«Lo farò.»

«Ciao, tesoro.» E poi, con un'aggiunta poco convincente: «Saluti affettuosi a tuo padre».

Più tardi, quella mattina, Caroline Cliburn era sdraiata su una coltre di erica, con il calore del sole che le avvolgeva tutto il corpo come un mantello e il braccio gettato sugli occhi per proteggersi dal chiarore abbacinante. Così accecata, i suoi sensi divennero doppiamente acuti. Udiva i chiurli, il gracchiare lontano di un corvo, lo sciabordio dell'acqua, il mormorio leggerissimo di una brezza segreta, inavvertita. Respirava la dolcezza pura della neve, dell'acqua pulita e della terra, muschiosa, umida e scura di torba. Sentiva il naso freddo di Lisa, la vecchia cagna Labrador, che le era sdraiata accanto e premeva il naso sulla sua mano.

Al suo fianco era seduto Oliver Cairney, che fumava una sigaretta, con le mani a penzoloni fra le ginocchia e osservava gli sforzi di Jody che si destreggiava in mezzo al laghetto su una voluminosa barca che aveva remi troppo lunghi per lui. Ogni tanto si udiva un tonfo minaccioso, Caroline alzava la testa per indagare e vedeva che aveva solo catturato un granchio o descriveva con la barca dei piccoli cerchi; felice che non stesse per annegare, lei si sdraiava ancora nell'erica e copriva di nuovo gli occhi.

«Se non l'avessi legato in quel giubbotto salvagente, tu staresti correndo su e giù per la riva come una gallina impazzita» osservò Oliver.

«No. Sarei là con lui.»

«E sareste tutti e due sul punto di annegare.» L'erica la punse attraverso la camicia, un insetto sconosciuto le risalì il braccio. Lei si alzò a sedere, scrollando via l'insetto, strizzando gli occhi alla luce del sole.

«È quasi incredibile, non è vero? Due giorni fa io e Jody eravamo nel mezzo di una tormenta. E ora questo.» La superficie del lago era immobile e chiara, blu come d'estate per il riflesso del cielo. Oltre la riva lontana circondata di canne, la brughiera saliva in una serie di rilievi tondeggianti, ricoperti di erica e ornati sulla sommità da rocce affioranti, come un faro in cima a una montagna. Lei vedeva in lontananza le sagome di un gregge di pecore al pascolo, sentiva nel mattino silenzioso i loro belati lamentosi. La barca a remi, condotta con tanta determinazione, avanzava lentamente sulla superficie dell'acqua. I capelli di Jody erano ritti e il suo viso incominciava a diventare rosa.

«È un posto incantevole. Non mi ero accorta di quanto fosse delizioso» disse.

«Questo è il periodo migliore. Adesso e ancora per un mese o due quando compaiono le foglie dei faggi, spuntano i narcisi e d'improvviso è estate. È di nuovo bellissimo in ottobre, con gli alberi color fiamma, il cielo blu scuro e tutta l'erica che diventa viola.»

«Non ne sentirai la mancanza?»

«Certo, ma non ci si può far niente.»

«Venderai Cairney?»

«Sì.» Gettò a terra il mozzicone della sigaretta, lo spense con il tacco della scarpa.

«Hai un compratore?»

«Sì. Duncan Fraser. Il mio vicino. Vive sull'altro lato della valletta, non si riesce a vedere la sua casa perché è nascosta da quell'area di pini. Vuole la terra da accorpare alla sua. Si tratta semplicemente di eliminare le staccionate di confine.»

«E la tua casa?»

«Dovrà essere venduta separatamente. Devo parlarne con gli avvocati. Ho detto che sarei sceso a Relkirk questo pomeriggio per vedere se possiamo definire qualcosa.»

«Non terrai niente di Cairney?»

«Tocchi sempre quel tasto.»

«Gli uomini di solito fanno i sentimentali riguardo alla tradizione e alla terra.»

«Forse anch'io.»

«Non ti dispiace vivere a Londra?»

«Per amor del cielo, no. Lo adoro.»

«Che cosa fai?»

«Lavoro per Bankfoot & Balcarries. E se non sai che cosa fanno, sappi che sono uno dei più grandi studi di consulenza di ingegneria nel paese.»

«Dove abiti?»

«In un appartamento, nei paraggi di Fulham Road.»

«Non molto lontano da noi.» Lei sorrise pensando che, pur vivendo vicino, non si erano mai incontrati. «È buffo, non è vero? Londra è così grande, eppure si viene in Scozia e si incontra il proprio vicino di casa. È un bell'appartamento?»

«A me piace.»

Lei cercò di raffigurarselo, ma non ci riuscì perché era impossibile immaginarsi Oliver lontano da Cairney.

«È grande o piccolo?»

«Piuttosto grande. Stanze grandi. È il pianterreno di un vecchia casa.»

«Hai il giardino?»

«Sì. Alquanto devastato dal gatto del mio vicino. Ho un grande salotto, una cucina dove mangio, un paio di stanze da letto e un bagno. Con tutte le comodità moderne, a dire il vero, tranne che per la mia macchina che va a pezzi lungo il marciapiede in ogni stagione. Adesso che cos'altro vuoi sapere?»

«Niente.»

«Il colore delle tende? Color topo morto.» Con le mani attorno alla bocca gridò, verso il lago. «Ehi, Jody!»

Jody si interruppe e si guardò attorno, con i remi sollevati e gocciolanti. «Ne hai avuto abbastanza. Vieni a riva adesso.»

«Va bene.»

«Così. Usa il remo sinistro. No, il sinistro, stupido! Ecco così.» Si alzò in piedi, camminò fino all'estremità del molo di legno e rimase ad aspettare che la barca a remi, che avanzava a tonfi lenti, accostasse. Poi si accovacciò per afferrare la cima da ormeggio e tirarla di fianco. Raggiante, Jody smontò i pesanti remi; Oliver li prese e legò la barca mentre Jody si arrampicava fuori. Risalì il molo per andare da sua sorella e lei vide che aveva le scarpe da ginnastica inzuppate e i jeans bagnati fino al ginocchio. Era entusiasta di sé.

«Sei stato molto bravo» gli disse Caroline.

«Avrei fatto di meglio, se i remi non fossero stati così grandi.» Faticò a slacciare i nodi del giubbotto salvagente e se lo sfilò dalla testa. «Pensavo, Caroline, non sarebbe bello se potessimo stare qui per sempre? C'è tutto quello che si potrebbe desiderare.»

Caroline l'aveva pensato a più riprese durante la mattina, e si era detta, ad altrettante riprese, di non fare la sciocca. Ora fu lei a dire a Jody di non fare lo sciocco, e il viso di lui mostrò sorpresa davanti al tono impaziente della sua voce.

Oliver strinse bene la corda al palo d'ormeggio di legno, si caricò sulle spalle i pesanti remi e li trasportò fino alla rimessa sgangherata per metterli via. Jody raccolse il giubbotto salvagente e andò a mettere via anche quello; chiusero la porta cadente e tornarono da Caroline attraversando il soffice tappeto d'erba, il giovane alto e il ragazzo con le lentiggini, con il sole alle loro spalle e il riflesso abbagliante dell'acqua.

Le giunsero accanto. «In piedi» disse Oliver e tese la mano per farla alzare. Anche Lisa si tirò su e si mise a scodinzolare come se anticipasse una piacevole escursione.

«Doveva essere una passeggiata esplorativa o qualcosa del genere» continuò Oliver. «E non abbiamo fatto che stare seduti al sole e guardare Jody che faceva lui tutta la ginnastica.»

«Dove andiamo adesso?» chiese Jody.

«C'è qualcosa che voglio mostrarvi... è appena dietro l'angolo.»

Lo seguirono, in fila indiana, lungo gli stretti sentieri per le pecore che solcavano i pascoli intorno al lago. Arrivarono in cima a una collinetta; il lago si incurvava bruscamente e alla sua estremità si trovava un piccolo cottage abbandonato.

«Volevi mostrarci quello?» chiese Jody.

«Sì.»

«È un rudere.»

«Lo so. Non è abitato da anni. Charles e io giocavamo qui. Una volta ci hanno persino permesso di dormirci.»

«Chi viveva qui?»

«Non lo so. Un pastore. O un affittuario del podere. Quei muriccioli sono vecchi recinti per le pecore e c'è un sorbo selvatico nel giardino. In passato la gente di campagna piantava sorbi selvatici sulla soglia perché pensava che portassero fortuna.»

«Non so com'è un sorbo selvatico.»

«In Inghilterra li chiamano frassini di montagna. Hanno foglie pennate e bacche rosso vivo, quasi come l'agrifoglio.»

Mentre si avvicinavano alla casa, Caroline vide che non era così abbandonata come era apparsa all'inizio. Essendo fatta di pietra, aveva mantenuto una certa aria di solidità, e sebbene il tetto di ferro ondulato fosse caduto in rovina e la porta pendesse dai cardini, era chiaro che un tempo quello era stato un alloggio del tutto decoroso, ben riparato nella piega della collina, con le tracce ancora visibili di un giardino tra i muri a secco. Percorsero quello che era stato un vialetto e varcarono la porta; Oliver abbassò prudentemente la testa sotto l'architrave. C'era un solo stanzone, con una stufa in ferro arrugginita a una estremità, una sedia rotta, e sul pavimento i resti di un nido di rondine. Il pavimento era tutto crepato e macchiato di escrementi di uccello; i raggi del sole danzavano obliqui con i granelli di polvere.

Nell'angolo una scala marcita conduceva al piano superiore.

«Attraente abitazione a due piani, indipendente» disse Oliver. «Chi vuole salire?»

Jody arricciò il naso. «Io no.» In cuor suo aveva paura dei ragni. «Torno in giardino. Voglio guardare il sorbo selvatico. Vieni, Lisa, vieni con me.»

Così Oliver e Caroline rimasero soli a salire sulla scala marcia, che aveva perso più della metà dei pioli. Si arrampicarono fino a un fienile illuminato a chiazze dalla luce del sole che entrava dai buchi del tetto sfondato. Le assi del pavimento erano marce e cedevoli, ma al di sotto le travi erano solide. C'era appena lo spazio perché Oliver riuscisse a stare in piedi, proprio al centro della stanza, con la cima della testa a meno di un centimetro e mezzo dalla trave di colmo.

Con cautela Caroline ficcò la testa al di fuori di uno dei buchi del tetto e vide Jody nel giardino sottostante, che si dondolava come una scimmia dal ramo del sorbo selvatico. Vide la riva sinuosa del lago, il verde del primo campo coltivato, le mucche al pascolo bianche e marroni come giocattoli e, in lontananza, la linea della strada principale. Ritrasse la testa e si voltò verso Oliver. Lui aveva una ragnatela sul mento e disse con accento cockney: «Che cosa ne pensi, cara? Una riverniciatina e il posto tornerà come nuovo?».

«Non si può far niente per questa casa, vero? Parlo sul serio.»
«Non lo so. Mi è appena venuto in mente che sarebbe possibile. Se riesco a vendere Cairney House, allora forse potrei permettermi di spendere un po' di soldi per questo posto.»
«Non c'è acqua corrente.»
«A quello potrei rimediare.»
«Né fognature.»
«Fossa biologica.»
«Né elettricità.»
«Lampade. Candele. Molto più in tono.»
«Come cucineresti?»
«Con bombole a gas.»
«Quando useresti la casa?»
«Durante i fine settimana. Nelle vacanze. Potrei portar qui i miei bambini.»
«Non sapevo che ne avessi.»
«Non ne ho ancora. Che io sappia. Ma quando mi sposerò, questa potrebbe essere una piccola proprietà piacevole da avere a portata di mano. Significherebbe anche che possederei ancora un pezzettino di Cairney. Il che dovrebbe tranquillizzare il tuo cuore sentimentale.»
«Allora ci tieni a Cairney?»
«Caroline, la vita è troppo breve per guardarsi indietro. Si rischia di smarrirsi per la strada, di inciampare e probabilmente di cadere battendo la faccia. Preferisco guardare al futuro.»
«Ma questa casa...»
«Era solo un'idea. Ho pensato che ti avrebbe fatto piacere vederla. Vieni adesso, dobbiamo tornare oppure la signora Cooper penserà che siamo tutti annegati.»

Oliver scese per primo la scala, provando con cautela ogni piolo che restava prima di appoggiarci sopra il suo peso. Arrivato in fondo aspettò Caroline, tenendo la scala saldamente fra le mani. Ma a metà strada lei si bloccò, senza riuscire a salire o a scendere. Incominciò a ridere e lui le disse di saltare. Lei rispose che non sapeva saltare e Oliver disse che anche un idiota sapeva saltare, ma a quel punto Caroline stava ridendo troppo per fare qualcosa di efficace e alla fine, inevitabilmente, scivolò. Ci fu uno schianto minaccioso di legno marcio e la sua discesa si concluse con una scivolata poco dignitosa prima che Oliver la prendesse finalmente fra le braccia.

C'era un ramoscello d'erica nei suoi capelli chiari, il maglione era tiepido di sole e il lungo sonno della notte le aveva cancellato le occhiaie sotto gli occhi. La pelle era liscia e lievemente rosea, il viso sollevato verso quello di lui, la bocca aperta in una risata. Senza pensare, senza esitazione, lui si chinò e la baciò. Improvvisamente ci fu un gran silenzio. Per un istante lei rimase immobile, poi appoggiò il palmo delle mani contro il petto di lui e lo allontanò con gentilezza. Il riso era sparito dal suo volto e c'era un'espressione nei suoi occhi che Oliver non aveva mai visto prima.

«Tutta colpa di questa giornata» disse lei infine.

«Che cosa vorrebbe dire?»

«Una bella giornata. Il sole. La primavera.»

«Questo cambia qualcosa?»

«Non lo so.»

Si allontanò da lui, sciogliendosi dal suo abbraccio, si voltò e si diresse verso la porta. Rimase lì, con una spalla appoggiata allo stipite, stagliandosi contro la luce, i capelli arruffati come in un'aureola intorno alla forma armoniosa della testa.

«È una casa adorabile. Dovresti tenerla» disse.

Jody aveva abbandonato il sorbo selvatico, era stato attirato nuovamente sul limitare dell'acqua e stava gettando sassi sulla superficie del lago cercando di farli rimbalzare e facendo impazzire Lisa che non sapeva se tuffarsi a ricuperarle o stare dov'era. Caroline raccolse un ciottolo piatto, lo tirò e quello rimbalzò tre volte prima di affondare fuori di vista.

Jody era furioso. «Fammi vedere, mostrami come fai» ma Caroline gli voltò le spalle, perché non poteva rispondere e non voleva che le vedesse il viso. Improvvisamente aveva capito perché non era più innamorata del ricordo di Drennan Colefield. E, cosa che la spaventava ancora di più, sapeva perché non aveva parlato a Oliver del prossimo matrimonio con Hugh.

Quando arrivò a Cairney, Liz trovò tutto tranquillo e apparentemente deserto. Fermò la macchina alla porta, spense il motore e attese che qualcuno uscisse a salutarla. Nessuno. Ma la porta era aperta; allora uscì dalla macchina, entrò, si fermò in mezzo all'ingresso e chiamò Oliver. Nessuna risposta, ma dalla cucina provenivano dei rumori domestici e, pratica della casa, Liz percorse il corridoio, superò la porta oscillante e sorprese la signora Cooper che era appena rientrata dopo aver appeso fuori una fila di vestiti.

Sussultando visibilmente, si mise la mano sul cuore. «Liz!» Conosceva Liz da quando era bambina e non si sarebbe mai sognata di chiamarla signorina Fraser.

«Mi dispiace. Non volevo spaventarla. Pensavo che la casa fosse deserta.»

«Oliver è fuori. Ha portato... gli altri con lui.» Ci fu solo una lievissima esitazione, ma Liz ne approfittò immediatamente. Alzò le sopracciglia.

«I vostri ospiti inaspettati? Ho sentito dire di tutto su di loro.»

«Be', sono solo due ragazzi. Oliver li ha portati giù al lago, il ragazzino voleva vedere la barca.» Alzò lo sguardo sull'orologio della cucina. «Torneranno da un momento all'altro, pranzeranno presto perché Oliver deve tornare a Relkirk questo pomeriggio per fare un'altra chiacchieratina con l'avvocato. Aspetti? Ti fermi a pranzo?»

«Non mi fermo a pranzo, ma aspetterò un attimo e, se non arrivano, andrò a casa. Sono solo venuta a vedere come sta Oliver.»

«Sta benissimo» disse la signora Cooper. «In un certo senso tutti questi avvenimenti sono stati un bene; l'hanno distratto dal lutto.»

«Tutti questi avvenimenti?» l'incoraggiò Liz con gentilezza.

«Sì, i ragazzi che sono comparsi in quel modo, con la macchina rotta e senza un posto dove andare.»

«Sono venuti in macchina?»

«Sì, da Londra, a quanto pare. La macchina era in un pasticcio terribile, dritta nel fosso e per di più con il motore gelato per il freddo dopo una notte all'aperto. Ma Cooper l'ha portata all'officina; hanno telefonato questa mattina presto e lui è andato a prenderla e a portarla qui. È nel capanno sul retro della casa adesso, bell'e pronta per quando vorranno andarsene di nuovo.

«Quando se ne vanno?» Liz mantenne un tono di voce indifferente e molto distaccato.

«Non saprei per certo. Non mi hanno detto niente. Pare che il fratello stia a Strathcorrie, ma al momento è via e credo che vogliano aspettare finché torna.» Aggiunse: «Quando vedrai Oliver, ti darà lui stesso tutte le notizie. Sono solo giù al lago. Se ti andasse, potresti incamminarti e incontrarli a metà strada».

«Magari farò così» disse Liz.

Ma non lo fece. Tornò fuori e si sistemò sulla panchina di pietra sotto la finestra della biblioteca, si mise gli occhiali da sole, accese una sigaretta e si allungò al sole.

C'era molta pace, e così udì le loro voci nell'aria tranquilla del mattino molto prima che comparissero. Il sentiero faceva una svolta attorno a una siepe di faggi del giardino e, mentre Oliver e gli altri si avvicinavano, ora finalmente visibili e apparentemente tutti presi dalla conversazione, non videro subito Liz seduta là ad aspettarli. Il ragazzino faceva strada; uno o due passi dietro di lui, Oliver con una vecchissima giacca di tweed e un fazzoletto di cotone rosso legato alla gola trascinava la ragazza per mano, come se lei, stanca di camminare, avesse incominciato a rimanere indietro.

Le stava parlando. Liz udì le note profonde della sua voce senza essere capace di afferrarne le parole. Poi la ragazza si fermò e si piegò, come per togliere un sassolino dalla scarpa. Una lunga cortina di capelli chiari le cadde sul volto e anche Oliver si fermò, ad aspettarla, paziente, con la testa scura chinata, la mano di lei ancora nella sua. Liz vide questo e di colpo ebbe paura. Sentiva che la stavano escludendo da qualcosa, come se loro tre fossero in qualche complotto contro di lei. Il sassolino venne finalmente tolto. Oliver si voltò per riprendere la salita e allora scorse la Triumph blu scuro posteggiata di fronte alla casa. Vide Liz. Lei gettò la sigaretta, la spense sotto il tacco, si alzò e gli andò incontro, ma Oliver aveva lasciato andare la mano della ragazza e avanzava deciso davanti agli altri percorrendo di corsa il ripido pendio erboso e raggiungendo Liz in cima.

«Liz.»

«Ciao, Oliver.»

Vedendola con quegli stretti pantaloni scamosciati e una giacca di pelle a frange, Oliver concluse che stava benissimo. Le prese le mani e la baciò. «Sei venuta per farmela pagare per ieri sera?» chiese.

«No» rispose Liz con franchezza. I suoi occhi guardarono oltre la spalla di lui in direzione di Caroline e Jody che, più lentamente, stavano arrivando attraverso il prato. «Ti ho detto che l'improvvisa comparsa dei tuoi ospiti mi incuriosiva. Sono venuta a conoscerli.»

«Siamo andati giù al lago.» Si voltò verso gli altri. «Caroline, ti presento Liz Fraser. Lei e suo padre sono i miei vicini; Liz va e viene da Cairney sin da quando era alta come un soldo di cacio. Ti ho mostrato la loro casa questa mattina, attraverso gli alberi. Liz, questa è Caroline Cliburn, e questo è Jody.»

«Piacere» disse Caroline. Si strinsero la mano. Liz tolse gli occhiali da sole, e Caroline rimase turbata nel vedere l'espressione dei suoi occhi.

«Salve» disse Liz. E poi: «Salve, Jody».

«Piacere» disse Jody.

«Sei qui da molto?» chiese Oliver.

«Dieci minuti, forse. Non di più» rispose voltando la schiena agli altri due.

«Ti fermi per pranzo?»

«La signora Cooper molto gentilmente me l'ha chiesto, ma mi aspettano a casa.»

«Allora vieni dentro a bere qualcosa.»

«No, devo ritornare. Ho fatto solo un salto a dire ciao.» Sorrise a Caroline. «La signora Cooper mi ha detto tutto di voi. Dice che avete un fratello a Strathcorrie.»

«Non è lì da molto...»

«Forse l'ho conosciuto... Come si chiama?»

Senza sapere perché, Caroline esitò e Jody, approfittando di quell'attimo di esitazione, rispose alla domanda al posto suo.

«Si chiama Cliburn, come noi» disse a Liz. «Angus Cliburn.»

Finito il pranzo, Oliver, dopo aver imprecato contro la necessità, in un pomeriggio così bello, di indossare un abito decente, cravatta e colletto, salire in macchina, arrivare in città e trascorrere il resto della giornata imprigionato nell'ufficio soffocante di un avvocato, se ne partì debitamente.

Caroline e Jody lo videro partire, salutando con la mano lungo il vialetto. Quando la macchina fu fuori di vista, rimasero ancora lì ad ascoltare il rumore del motore dell'auto che, giunta sulla strada principale, si fermò, l'imboccò, cambiò e s'allontanò rombando su per la collina.

Oliver se ne era andato, e loro due si ritrovarono un po' disorientati. Dopo aver lavato e asciugato i piatti, la signora Cooper era ritornata a occuparsi della casa e a distendere all'aperto un intero bucato prima che il tepore della giornata terminasse. Jody si mise a prendere a calci la ghiaia, sconsolato. Caroline l'osservò comprensiva, sapendo esattamente quello che provava.

«Che cosa vuoi fare?»

«Non lo so.»

«Vuoi tornare al lago?»

«Non lo so.» Era come tutti i ragazzini, quando sono privati inprovvisamente del loro migliore amico.

«Potremmo fare un altro puzzle.»

«Non dentro casa.»

«Potremmo portarlo fuori e stare al sole.»

«Non ho voglia di fare un puzzle.»

Sconfitta, Caroline andò a sedersi sulla panchina dove avevano trovato Liz Fraser ad aspettarli quella mattina. Scoprì che i suoi pensieri rifuggivano istintivamente dal ricordo dell'incontro e così, deliberatamente, si costrinse a ritornarci sopra, a cercare di decidere perché lei avesse trovato così inquietante la comparsa improvvisa dell'altra ragazza.

Era dopo tutto perfettamente normale. Lei era un'amica di vecchia data, una vicina; sembrava conoscere Oliver da una vita. Suo padre avrebbe comprato Cairney. Che cosa c'era di più normale del fatto che venisse in macchina a fare una visita amichevole e a incontrare gli ospiti di Oliver?

Eppure c'era qualcosa. Un'antipatia violenta che Caroline aveva avvertito il momento stesso che Liz si era tolta gli occhiali da sole e l'aveva guardata dritto negli occhi. Gelosia, forse? Non aveva nessun motivo per essere gelosa. Era cento volte più carina di Caroline, e Oliver doveva volerle molto bene. O forse lei era soltanto possessiva, come poteva esserlo una sorella? Ciò comunque non spiegava il fatto che, mentre stava lì a parlarle, a Caroline era rimasta l'impressione di essere lentamente spogliata di ogni indumento.

Jody era accovacciato e raccoglieva la ghiaia in piccoli mucchi con le mani grigie di polvere. Alzò gli occhi.

«Sta arrivando qualcuno» disse.

Rimasero ad ascoltare. Aveva ragione. Una macchina aveva svoltato ai piedi del viale e stava avvicinandosi alla casa.

«Forse Oliver ha dimenticato qualcosa.»

Ma non era Oliver. Era la stessa Triumph blu scuro parcheggiata fuori della casa quella mattina. Con la capote abbassata e al volante Liz Fraser; i capelli scintillanti, gli occhiali da sole e una sciarpa di seta intorno al collo. Istintivamente sia Caroline sia Jody si alzarono, e la macchina frenò bruscamente a meno di due metri da dove loro aspettavano, sollevando una nuvola di polvere dalle ruote posteriori.

«Di nuovo ciao» disse Liz e spense il motore.

Jody non disse nulla. Il suo viso era inespressivo. Caroline disse «Ciao»; Liz aprì la portiera, uscì e richiuse sbattendola dietro di sé. Tolse gli occhiali e Caroline vide che, nonostante la bocca sorridente, gli occhi non sorridevano. «Oliver se ne è andato?»

«Sì, circa dieci minuti fa.»

Liz sorrise a Jody e si protese a prendere qualcosa sul sedile posteriore della macchina. «Ti ho portato un regalo. Ho pensato che forse stavi esaurendo le cose da fare.» Tirò fuori una piccola mazza e una palla da golf. «C'era un campo di minigolf su quella spianata. Sono sicura che se guardi troverai la buca e alcuni dei segnali. Ti piace il minigolf?»

Il viso di Jody si illuminò. Adorava i regali. «Oh, grazie. Non lo so. Non l'ho mai provato.»

«È divertente. Molto complicato. Perché non vai a vedere come te la cavi?»

«Grazie» ripeté e si avviò. A metà pendio si voltò. «Quando ho imparato, verrai a fare una partita con me?»

«Certo. Faremo una piccola scommessa e vedremo chi vince il premio.»

Se ne andò, correndo lungo l'ultimo tratto del pendio fino alla spianata erbosa. Liz si voltò verso Caroline e il sorriso le si spense. «A dire il vero sono venuta a fare una chiacchieratina con te. Ci sediamo? È molto più riposante» esordì.

Si sedettero, Caroline diffidente, mentre Liz, perfettamente a suo agio, prese una sigaretta e l'accese con un minuscolo accendino d'oro. «Ho ricevuto una telefonata da mia madre» disse.

Caroline non trovò niente da dire davanti a quell'informazione gratuita. Liz continuò: «Non sai chi sono, non è vero? Tranne il fatto che sono Liz Fraser di Rossie Hill?». Caroline scosse la testa. «Ma conosci Elaine e Parker Haldane.» Caroline annuì. «Mia cara, non guardarmi con quell'aria inespressiva, Elaine è mia madre.»

Ripensandoci, Caroline non riusciva a immaginare come aveva fatto a essere così ottusa. Elizabeth. Liz. La Scozia. Si ricordò di Elaine che aveva parlato di Elizabeth durante quell'ultima cena a Londra. "Be', sai, dieci anni fa quando Duncan e io eravamo ancora insieme, abbiamo comprato quella casa in Scozia..." Duncan, il padre di Liz, che stava per comprare Cairney da Oliver... Per prima cosa Elizabeth ha fatto amicizia con i due ragazzi che vivevano nella proprietà confinante... il maggiore... si è ammazzato in un incidente terribile."

Si ricordò di Jody che le raccontava della morte di Charles e di come qualcosa le fosse emerso dal subconscio, ma fosse stato dimenticato prima di giungere alla luce della coscienza.

I pezzi erano stati sparpagliati, come le tessere del puzzle incompiuto di Jody, ma erano stati lì, proprio sotto il suo naso, solo che lei era stata troppo stupida o forse troppo presa dai suoi problemi per metterli tutti insieme.

«Ti ho sempre conosciuta come Elizabeth» disse.

«Mia madre e Parker mi chiamano così, ma qui sono sempre stata Liz.»

«Non me ne sono mai resa conto. Ecco tutto.»

«Be', è così. Le coincidenze, il mondo piccolo e così via. E, come dicevo, mia madre ha telefonato questa mattina.»

Gli occhi di Liz le dissero che era al corrente di ogni cosa. «Che cosa ti ha detto?» chiese Caroline.

«Be', tutto, penso. Di te e... Jody, non è vero?... che siete spariti. Di Diana sconvolta dalla preoccupazione; sa solo che siete in Scozia, nient'altro. E di una gran matrimonio martedì prossimo. Stai per sposare Hugh Rashley.»

«Sì» disse Caroline con decisione, poiché non sembrava esserci nient'altro da dire.

«Sembra che ti sia messa in un pasticcio.»

«Sì» disse Caroline. «Probabilmente sì.»

«Mia madre ha detto che siete venuti in Scozia a cercare Angus. Non è stato un tentativo assurdo?»

«Non sembrava così al momento. Era solo che Jody voleva rivedere Angus. Diana e Shaun vogliono portarlo in Canada e Jody non vuole andare. Hugh non vuole che Jody viva con noi, così rimane solo Angus.»

«Pensavo che Angus fosse un hippy.»

L'istinto di Caroline la spinse a lanciarsi in difesa del fratello, ma in verità era difficile pensare a qualcosa da dire. Scrollò le spalle. «È nostro fratello.»

«E vive a Strathcorrie?»

«Lavora lì. All'albergo.»

«Ma non adesso?»

«No, ma dovrebbe essere di ritorno entro domani.»

«Tu e Jody avete intenzione di aspettare qui finché non arriva?»

«Non... non lo so.»

«Sembri incerta. Forse posso aiutarti a decidere. Oliver sta attraversando un momento difficile. Non so se te ne sei accorta. Era molto legato a Charles, erano solo loro due. Charles è morto; Cairney deve essere venduta ed è molto duro per Oliver. Non pensi, date le circostanze, che sarebbe forse... delicato se tu e tuo fratello tornaste a Londra? Per amore di Oliver. Di Diana. Di Hugh.»

Caroline non si fece ingannare. «Perché ci vuoi levare di torno?»

Liz non si scompose. «Forse perché siete un impiccio per Oliver.»

«A causa tua?»

Liz sorrise. «Oh, mia cara, ci conosciamo da tanto tempo; siamo molto legati. Più legati di quanto tu possa immaginare. È una delle ragioni per cui mio padre comprerà Cairney.»

«Lo sposerai?»

«Certo.»

«Non me l'ha detto.»

«Perché avrebbe dovuto farlo? Tu gli hai detto

che stai per sposarti? O forse è un segreto? Vedo che non porti l'anello di fidanzamento.»

«L'ho... l'ho lasciato a Londra. È troppo grande per me e ho sempre paura di perderlo.»

«Ma lui non lo sa, vero?»

«No.»

«Buffo non dirlo a Oliver. Dopo tutto, a sentire mia madre, sarà un matrimonio molto importante. Immagino che un agiato agente di borsa come Hugh Rashley consideri che una cerimonia solenne sia indispensabile alla sua immagine di uomo di successo. Hai ancora intenzione di sposarlo? Per qualche motivo non vuoi che Oliver lo sappia?» Vedendo che Caroline non rispondeva a nessuna di quelle domande, incominciò a ridere. «Mia cara bambina, credo davvero che ti sia innamorata di lui. Non te ne faccio una colpa. Mi dispiace molto per te. Ma sono dalla tua parte e ti propongo un piccolo patto. Tu e Jody ritornate a Londra, e io non fiaterò con Oliver a proposito del tuo matrimonio. Non ne saprà nulla finché non vedrà i giornali mercoledì mattina che, senza dubbio, riporteranno tutta la storia, con una foto di voi due sulla porta della chiesa, che sembrerete una coppia di sposini staccati dalla cima di una torta di nozze. Che ne dici? Niente spiegazioni, niente scuse. Semplicemente un distacco netto. Torni dal tuo Hugh che ovviamente ti adora e lasci Angus, l'hippy, libero di fare quello che vuole. Non ti sembra ragionevole?»

«C'è Jody...» obiettò Caroline inerme.

«È un bambino. Un ragazzino. Si adatterà. Se ne andrà in Canada e gli piacerà moltissimo; diventerà il capitano di una squadra di hockey su ghiaccio in men che non si dica. Diana è la persona più adatta a prendersi cura di lui, lo capisci, no? Uno come Angus avrebbe un ascendente deleterio. Caroline, scendi dalle nuvole e affronta la realtà. Lascia perdere tutta la storia e torna a Londra.»

Dal prato sottostante giunse il grido trionfante di Jody che finalmente aveva centrato la buca con la palla da golf. Apparve di corsa su per il pendio, brandendo la nuova mazza. «Ho imparato come fare. Bisogna colpire lentamente e non troppo forte, e...» Si fermò. Liz si era alzata, stava mettendosi i guanti. «Non vieni a giocare con me?»

«Un'altra volta» disse Liz.

«Me l'avevi promesso.»

«Un'altra volta.» Salì in macchina, sistemando con eleganza le lunghe gambe. «In questo momento tua sorella ha qualcosa da dirti.»

Oliver arrivò a casa, attraverso la luce blu del crepuscolo di quel giorno perfetto, d'umore assai diverso da quello del giorno precedente. Era rilassato e, per qualche motivo, stranamente contento. Non era esausto per il lungo colloquio con l'avvocato; aveva le idee chiare ed era molto più felice adesso che aveva fatto il passo decisivo di mettere in vendita Cairney House. Aveva parlato con l'avvocato anche del progetto di tenere il cottage sul lago, di ristrutturarlo e convertirlo in una casetta per le vacanze, e l'avvocato non aveva sollevato alcuna obiezione, a patto che Oliver si accordasse con Duncan Fraser per una strada d'accesso attraverso quella che sarebbe diventata, nel corso del tempo, la terra di Duncan.

Oliver non credeva che Duncan avrebbe sollevato obiezioni a tal proposito. Il pensiero della casa, resa di nuovo solida e robusta, lo riempiva di soddisfazione. Avrebbe esteso il giardino fino al limitare dell'acqua, aperto il vecchio camino, ricostruito il comignolo, messo degli abbaini sul tetto del solaio. Con un sacco di progetti, si mise a fischiare fra sé e sé. Il volante di pelle era solido e piacevole sotto le mani e la macchina imboccò con facilità, con dolcezza, come un cavallo ben addestrato, le svolte della strada ben nota. Come se, pensò Oliver, sapesse che stava arrivando a casa.

Svoltò al cancello d'entrata e salì rombando il vialetto sotto gli alberi, dando una serie di colpi di clacson lungo il tratto accanto ai rododendri per far sapere a Jody e Caroline che era di ritorno sano e salvo. Lasciò la macchina accanto alla porta d'ingresso ed entrò togliendosi il cappotto e aspettando i passi di Jody.

Ma la casa era silenziosa. Depose il cappotto su una sedia e gridò: «Jody!». Non ci fu alcuna risposta. «Caroline!» Ancora niente. Andò in cucina, ma era buia e vuota. La signora Cooper non era ancora venuta a metter su la cena. Perplesso, lasciò che la porta si chiudesse e andò in biblioteca. Trovò anche quella al buio, con il fuoco nel camino che si stava spegnendo. Accese la luce e si accostò a gettarci sopra dell'altra legna. Si drizzò e vide la busta sulla sua scrivania, un quadrato bianco appoggiato al telefono. Una delle buste migliori, presa dal primo cassetto della scrivania, con scritto sopra il suo nome.

L'aprì e vide, con sorpresa, che gli tremavano le mani. Distese l'unico foglio e lesse la lettera di Caroline.

Caro Oliver,
dopo che te ne sei andato Jody e io abbiamo parlato e abbiamo deciso che è meglio che ritorniamo a

Londra. Non serve a nulla aspettare Angus, non sappiamo quando sarà di ritorno e non è giusto per Diana fermarci ancora quando lei non sa nemmeno dove siamo.

Per favore non preoccuparti per noi. La macchina funziona a meraviglia e ce l'hanno cortesemente riempita di benzina alla tua officina. Non penso che ci sarà un'altra tormenta e sono sicura che ritorneremo sani e salvi.

Non abbiamo parole per dire grazie, a te e alla signora Cooper, per tutto quello che avete fatto. È stato bellissimo stare a Cairney. Non lo dimenticheremo mai.

Con affetto da parte di tutti e due
Caroline

7

Il mattino seguente, con il pretesto di voler chiarire uno o due problemi con Duncan Fraser, Oliver si recò in macchina a Rossie Hill. Era un'altra bellissima giornata, ma più fredda; durante la notte c'era stata una leggerissima gelata e il sole non era ancora abbastanza caldo per scioglierla. Eppure il vialetto di Rossie Hill era bordato dalle corolle ondeggianti dei primi narcisi e all'interno della casa, nell'ingresso, si sentiva il profumo venire dai giacinti blu nella grande ciotola in mezzo al tavolo.

Pratico di quella casa come Liz lo era di Cairney, cercò i suoi occupanti, scovando alla fine Liz nello studio di suo padre, dove, seduta sulla scrivania, era impegnata in una conversazione telefonica. Con il macellaio, da quanto si capiva. Quando Oliver aprì la porta, lei alzò lo sguardo, lo vide, inarcò le sopracciglia in un messaggio silenzioso per dirgli di aspettare. Lui entrò nella stanza e andò a mettersi accanto al camino, incerto se fumare una sigaretta oppure no, confortato dal calore del fuoco sul davanti delle gambe.

Liz finì la telefonata e riattaccò, ma rimase accanto al telefono, quasi immobile, con una lunga gamba che oscillava pensosamente. Indossava una gonna a pieghe, un maglioncino, una sciarpa di seta legata alla base della gola. La pelle delle braccia e del viso splendeva ancora del sole di Antigua, e per un lungo istante i suoi occhi scuri incontrarono quelli di lui attraverso la stanza.

«Cerchi qualcuno?» chiese.

«Tuo padre.»

«È uscito. È andato a Relkirk. Non tornerà fino all'ora di pranzo.» Prese un portasigarette d'argento e glielo porse. Oliver scosse la testa; allora lei prese una sigaretta per sé e l'accese con il pesante accendino da tavolo. Lo esaminò pensosamente attraverso una nuvola di fumo azzurrino. «Sembri sconvolto, Oliver. C'è qualcosa che non va?»

Aveva cercato per tutta la mattina di convincersi che non c'era niente che non andasse, ma ora disse bruscamente: «Caroline e Jody se ne sono andati».

«Andati?» La voce di lei era leggermente sorpresa. «Dove sono andati?»

«Di nuovo a Londra. Sono ritornato a casa ieri sera e ho trovato una lettera di Caroline.»

«È una gran bella cosa.»

«Dopo tutte quelle traversie non sono neanche riusciti a trovare il fratello.»

«Da quanto ho potuto capire, non farà molta differenza in un senso o nell'altro.»

«Ma era importante per loro. Era importante per Jody.»

«Se tu pensi che siano in grado di ritornare a Londra, io non mi preoccuperei troppo. Hai abbastanza di cui occuparti senza fare da governante a due tapini che non avevi mai visto prima.» Cambiò argomento, come se fosse poco importante. «Perché volevi vedere mio padre?»

Se ne ricordava a malapena. «Una strada di accesso. Voglio tenere il cottage sul lago, se posso. Avrò bisogno di un accesso su per la valletta.»

«Tenere il cottage sul lago? Ma è un rudere.»

«È abbastanza solido. Ha solo bisogno di essere risistemato, di un tetto nuovo.»

«Perché vuoi il cottage sul lago?»

«Per tenerlo. Come casa di vacanza, magari. Non lo so. Soltanto per tenerlo.»

«Sono stata io a metterti in testa questa idea?»

«Forse sì.»

Lei scivolò giù dalla scrivania e attraversò la stanza per mettersi al suo fianco. «Oliver, ho un'idea migliore.»

«Qual è?»

«Lascia che mio padre compri Cairney House.»

Oliver rise. «Non la vuole nemmeno.»

«No, ma io sì. Vorrei averla per... che cos'è che hai detto? Vacanze, fine settimana.»

«Che cosa ci faresti?»

Lei gettò la sigaretta sul fuoco. «Ci porterei mio marito e i miei bambini.»

«A loro piacerebbe?»

«Non lo so. Dimmelo tu.»

Gli occhi di lei erano limpidi, onesti, imperturbabili. Oliver era stupito da quello che gli aveva detto Liz, eppure anche lusingato. E sbalordito. La piccola Liz, Liz dalle gambe lunghe, sgraziata, ormai un'adulta perfettamente composta che chiedeva a Oliver di...

«Perdonami se sbaglio tutto, ma non dovrei essere io quello che propone questo genere di idee?» chiese.

«Sì, immagino di sì. Ma ti conosco da troppo

tempo per indulgere in finte ritrosie. Ho la sensazione che l'esserci incontrati di nuovo in questa circostanza, quando nessuno di noi due pensava di trovare l'altro, abbia un significato. Sia parte di un progetto. Ho la sensazione che Charles volesse farlo accadere.»

«Era Charles che ti amava.»

«È quello che voglio dire. E Charles è morto.»

«L'avresti sposato, se fosse vissuto?»

Per tutta risposta gli mise le braccia al collo, gli fece chinare il capo e lo baciò sulla bocca. Per un secondo lui esitò, colto alla sprovvista, ma solo per un secondo. Era Liz, profumata, incantevole, meravigliosamente attraente. La cinse con le braccia e l'attirò a sé, il corpo snello di lei premuto contro il suo, e si disse che forse aveva ragione. Forse era quella la direzione che doveva prendere la sua vita e, forse, era quello che Charles aveva sempre voluto che succedesse.

Come naturale, arrivò a casa tardi per pranzo. La cucina era vuota a mo' di rimprovero, con solo il suo posto apparecchiato sulla tavola, un buon profumo di cibo che proveniva dalla stufa. Nel cercare la signora Cooper, la trovò nella stanza dei bambini che riponeva tutti i vecchi giocattoli che Jody aveva lasciato in disordine, con l'espressione di una madre privata dei suoi figli.

«Sono in ritardo, mi dispiace» disse facendo capolino dalla porta.

Lei alzò gli occhi dalla scatola di costruzioni che stava riponendo con grande cura. «Oh, non importa.» Sembrava distratta. «È solo un pasticcio di carne. L'ho lasciato nel forno tiepido, può mangiarlo quando vuole.»

Era rimasta turbata e dispiaciuta la sera prima, quando le aveva detto che i Cliburn se ne erano andati. Dalla sua espressione in quel momento Oliver capì che non l'aveva ancora superato. «Dovrebbero essere a buon punto del viaggio a quest'ora. A Londra entro stasera se non c'è troppo traffico sulle strade» disse con forza, cercando di rallegrarla.

La signora Cooper tirò su con il naso. «Non mi piace l'atmosfera della casa senza di loro. È come se il ragazzino fosse vissuto qui tutta la sua vita. Era come se Cairney fosse di nuovo viva, ad averlo qui.»

«Lo so.» Oliver era pieno di comprensione. «Ma se ne sarebbero dovuti andare comunque fra un giorno o due.»

«Non ho avuto nemmeno la possibilità di dirgli arrivederci.» Sembrava che fosse tutta colpa di Oliver.

«Lo so.» Non riusciva a pensare a nient'altro da dire.

«Non è nemmeno riuscito a vedere suo fratello. Parlava talmente di suo fratello Angus e poi non è nemmeno riuscito a vederlo. Mi fa veramente soffrire.»

Da parte della signora Cooper quelle erano parole forti. Improvvisamente Oliver si sentì depresso come lei. Disse debolmente: «Io... io vado a mangiare quel pasticcio di carne»; poi, alla porta, si ricordò perché era venuto a cercarla. «Oh, signora Cooper, non si scomodi a venire questa sera. Sono stato invitato a cena a Rossie Hill...»

Lei accolse la notizia con un cenno del capo, come se fosse troppo angosciata per dire un'altra parola. Oliver la lasciò sconsolata alle sue pulizie e andò di nuovo di sotto. La casa gli parve vigile e silenziosa come se, privata della rumorosa presenza di Jody, fosse affondata in una depressione simile a quella della signora Cooper.

Rossie Hill, preparata per una cena, risplendeva luccicante come l'interno di un portagioie. Quando entrò in casa, Oliver sentì il profumo dei giacinti, vide il guizzo delle fiamme che ardevano nel camino e fu immediatamente consolato da un senso di calore e benessere. Mentre si toglieva il cappotto e lo gettava sulla sedia dell'ingresso, Liz emerse dalla cucina con una coppa di cubetti di ghiaccio in mano. Si fermò quando lo vide, il sorriso immediato e splendente.

«Oliver.»

«Ciao.»

Le prese le spalle fra le mani e la baciò con attenzione, per non pasticciare i contorni precisi del rossetto. Aveva un profumo e un sapore delizioso. L'allontanò da sé per poterla ammirare meglio. Era vestita di rosso, un abito di seta a pantalone con un colletto alto e alle orecchie ben modellate brillavano dei diamanti. Gli ricordava un parrocchetto, un uccello del paradiso, tutto occhi splendenti e piume fulgide.

«Sono in anticipo» disse.

«Non in anticipo. Proprio giusto. Gli altri non sono ancora arrivati.»

«Altri?» chiese alzando le sopracciglia.

«Ti ho detto che era una cena.» La seguì in salotto dove lei appoggiò la coppa del ghiaccio su un tavolo di bevande preparato con gran cura. «Gli Allford. Li conosci? Sono venuti ad abitare a Relkirk. Lui si occupa di whisky. Non vedono l'ora di conoscerti. Dunque, devo prepararti un drink o preferisci fartelo tu? So fare un Martini molto speciale.»

«Dove hai imparato a farlo?»

«Oh, l'ho imparato nei miei viaggi.»

«Sono scortese se scelgo un whisky con soda?»
«Niente affatto, sei solo tipicamente scozzese.»
Liz glielo preparò, proprio come piaceva a lui, non troppo scuro, con tanto ghiaccio e le bollicine. Glielo portò, lui lo prese e la baciò di nuovo. Lei si staccò riluttante e ritornò al tavolo delle bevande a preparare una caraffa di Martini.
Mentre lo faceva, si unì a loro Duncan, poi il campanello dell'ingresso suonò e Liz uscì a salutare gli altri suoi ospiti.
Quando fu fuori della stanza, Duncan disse a Oliver: «Liz me l'ha detto».
Oliver fu sorpreso. Non era stato deciso niente di definitivo quella mattina. Non era stato discusso niente. La chiacchierata con Liz, sebbene assai piacevole, aveva riguardato più il passato e i ricordi che il futuro. A Oliver era sembrato che ci fosse tutto il tempo immaginabile per decidere del futuro.
«Che cosa ha detto?» chiese cauto.
«Non molto. Ha buttato lì una o due idee, per così dire. Devi sapere, Oliver, che nulla mi renderebbe più felice.»
«Ne... ne sono lieto.»
«Quanto a Cairney...» Le voci si avvicinarono alla porta semiaperta e lui si interruppe bruscamente. «Ne parleremo più tardi.»

Gli Allford erano una coppia di mezz'età, il marito grosso e pesante, la moglie molto sottile, bianca e rosa con quei biondi capelli soffici e voluminosi che sembrano così scialbi, quando incominciano a diventare grigi. Vennero fatte le presentazioni, e Oliver si trovò seduto sul divano accanto alla signora Allford, a sentire dei suoi figli che prima non volevano venire a vivere in Scozia, ma che adesso ne erano entusiasti. Di sua figlia che viveva per il Pony Club locale e di suo figlio che era al primo anno a Cambridge.

«Lei... dunque, lei è un vicino di casa, se si può usare questa espressione.»

«No. Vivo a Londra.»

«Ma...»

«Mio fratello, Charles Cairney, viveva a Cairney, ma è morto in un incidente d'auto. Io sono qui per cercare di sistemare i suoi affari.»

«Oh, naturalmente.» La signora Allford fece un'espressione adatta a una tragedia. «L'ho saputo. Mi dispiace. È difficile ricordarsi di tutto quando si incontra qualcuno per la prima volta.»

Oliver riportò lo sguardo su Liz. Duncan e il signor Allford erano in piedi, immersi in una conversazione d'affari. Lei era al loro fianco, con in mano il suo drink e un piattino di noci salate da cui il signor Allford si serviva distrattamente di tanto in tanto. Percependo l'occhiata di Oliver, Liz si voltò. Lui le strizzò l'occhio che la signora Allford non vedeva e lei gli sorrise.

Finalmente andarono a cena. La sala da pranzo era illuminata tenuemente, le tende di velluto chiuse per tenere lontana la notte. C'erano sottopiatti di pizzo sul lucido legno scuro, argenti e cristallerie, un gran mazzo di tulipani scarlatti, dello stesso rosso del vestito di Liz, in mezzo al tavolo. Vennero serviti salmone affumicato, rosa e gustoso, vino bianco, scaloppe di vitello, minuscoli cavolini di Bruxelles cucinati con le castagne, un budino che era semplicemente una spuma di panna e limone. Seguirono caffè, brandy e, su tutto, l'aroma dei sigari

Avana. Oliver spinse indietro la sedia, sazio e appagato dai piaceri della bella vita, e si accomodò per la conversazione del dopocena.

Dietro di lui l'orologio sulla mensola batté le nove. A un certo punto durante la giornata, aveva ricacciato il pensiero di Jody e Caroline in fondo alla mente e da allora non si era più preoccupato di loro. Ma mentre i rintocchi risuonavano gentili, si trovò di colpo, non più a Rossie Hill, ma a Londra con i Cliburn. A quell'ora erano a casa, stanchi morti, che cercavano di dare spiegazioni a Diana, che cercavano di raccontarle tutto quello che era successo; Caroline pallida ed esausta dopo il lungo viaggio in macchina; Jody ancora tormentato dalla delusione. "Siamo andati a cercare Angus. Abbiamo fatto tutto il viaggio fino in Scozia per cercare Angus, ma lui non c'era. Non voglio andare in Canada."

Diana sconvolta li sgridava, alla fine li perdonava, scaldava del latte per Jody e lo portava a letto; Caroline che saliva di sopra, un gradino alla volta, il volto velato dai lunghi capelli, la mano che si trascinava sulla balaustra.

«Che cosa ne dici, Oliver?»

«Eh?» Tutti lo stavano guardando. «Mi dispiace. Non ero attento.»

«Stavamo parlando dei diritti di pesca del salmone nel Corrie. Si dice che...»

La voce di Duncan si affievolì. Nessun altro parlò. Di colpo ci fu un gran silenzio e nella quiete loro sentirono quello che le orecchie acute di Duncan avevano già sentito. Il rumore di una macchina, non sulla strada, ma che risaliva la collina verso la casa. Un furgone, o un camion; le marce scalate rumorosamente dove il pendio diventava più ripido e poi il lampeggiare dei fari all'esterno delle tende chiuse e il pulsare regolare di un vecchio motore.

Duncan guardò Liz. «Sembra» disse, facendo una battuta, «che tu stia aspettando il carbonaio.»

Lei aggrottò le ciglia. «Immagino che qualcuno si sia perso. La signora Douglas andrà alla porta» e, senza scomporsi, si rivolse di nuovo al signor Allford, con l'intenzione di continuare la conversazione, ignorando il richiamo della persona sconosciuta che aspettava fuori. Ma l'attenzione di Oliver si tese come un elastico, le orecchie gli si rizzarono come quelle di un cane. Sentì il suono del campanello della porta d'ingresso e dei passi lenti che andavano a rispondere alla chiamata. Sentì una voce, acuta e sovreccitata, interrotta dalle obiezioni pacate della signora Douglas. «Non si può entrare lì, c'è una cena...» E poi un'esclamazione: «Ah, tu, diavoletto...» e, l'istante seguente, la porta del salotto si spalancò. Fuori, pronto a scattare, con gli occhi che cercavano nella stanza l'unica persona che voleva trovare, c'era Jody Cliburn.

Oliver s'alzò in piedi, gettando il tovagliolo sul tavolo.

«Jody!»

«Oliver!»

Attraversò la stanza come un proiettile, come un piccione viaggiatore, per finire dritto nelle braccia di Oliver.

La civile compostezza della cena scomparve all'istante, afflosciandosi come un pallone forato. La confusione che ne seguì sarebbe stata buffa, se non fosse stata tragica. Jody, in lacrime, strillava come un bambino piccolo, con la testa puntata nello stomaco di Oliver e le braccia avvolte strettamente attorno alla sua vita, come se non avesse alcuna intenzione di lasciarlo andare. La signora Douglas, aggredita con addosso il grembiule, indugiava sulla soglia, non sapendo se entrare o no nella sala da pranzo a trascinare via di forza l'intruso. Duncan si era alzato, senza capire minimamente che cosa stesse succedendo o chi fosse quel bambino. Di tanto in tanto diceva: «Di che diavolo si tratta?», ma nessuno era in grado di dargli una risposta. Anche Liz si era alzata, ma non diceva niente, guardava solo la nuca di Jody con l'aria di chi avrebbe voluto sbatterla come frutta marcia contro il primo muro di pietra, se solo ne avesse avuto la possibilità. Soltanto gli Allford, formali fino all'ultimo, rimasero dov'erano, con il signor Allford che diceva: «Che cosa insolita» tra una boccata e l'altra del sigaro. «Volete dire che è venuto con il camion del carbone?» La signora Allford sorrideva affabilmente, come se fosse abitutata a vedere interrotta da bambini sconosciuti ogni cena degna di memoria cui aveva partecipato.

Dalle pieghe del gilet di Oliver provenivano singhiozzi, respiri affannosi e frasi tronche di cui lui non sentiva e non capiva una sola parola. Era ovvio che la situazione non poteva continuare, ma Jody si stringeva così forte che Oliver non riusciva a muoversi.

«Vieni adesso» disse alla fine, alzando la voce per farsi sentire tra i singhiozzi. «Lasciami andare. Andiamo fuori e mi dirai di che cosa si tratta...» In qualche modo le sue parole raggiunsero Jody che allentò la presa leggermente e si fece condurre verso la porta. «Mi dispiace moltissimo» disse Oliver nell'andarsene. «Per cortesia scusatemi per un istante... una cosa piuttosto inaspettata.»

Sentendosi come chi riesce a trarsi d'impaccio con una trovata d'ingegno, si trovò nell'ingresso e la signora Douglas – che Dio la benedica! – chiuse la porta alle loro spalle.

«Tutto bene?» bisbigliò lei.

«Sì.»

Lei ritornò in cucina, parlottando fra sé e sé, e Oliver si sedette su una sedia di legno intagliata che non era mai stata fatta per quell'uso e si tirò Jody vicino, fra le ginocchia. «Smettila di piangere. Cerca di smettere di piangere. Ecco, soffiati il naso e smetti di piangere.» Con il volto scarlatto e gonfio, Jody fece uno sforzo coraggioso, ma le lacrime continuavano a sgorgare.

«Non ci riesco.»

«Che cosa è successo?»

«Caroline sta male. Sta veramente male. Ha la nausea come prima e un dolore terribile qui.» Jody si mise le mani sporche sullo stomaco. «Sta sempre peggiorando.»

«Dov'è?»

«Allo Strathcorrie Hotel.»

«Aveva detto che sareste tornati a Londra.»

«Non gliel'ho permesso.» Gli occhi gli si riempirono ancora di lacrime. «Volevo trovare Angus.»

«Angus è già ritornato?»

Jody scosse la testa. «No. Non c'era nessuno se non tu.»

«Hai chiamato un dottore?»

«Io... io non sapevo che cosa fare. Sono venuto a cercarti...»

«Pensi che stia davvero male?»

Incapace di parlare per il pianto, Jody annuì ancora. La porta del salotto si aprì piano e si richiuse.

Oliver si voltò e vide Liz lì in piedi. «Perché non siete tornati a Londra?» chiese rivolta a Jody, che, vedendola infuriata, non volle rispondere. «Avevate detto che sareste ritornati. Tua sorella aveva detto che ti avrebbe riportato a casa.» La voce le si fece improvvisamente stridula. «Avevate detto...»

Oliver si alzò e Liz si fermò, come se lui avesse chiuso un rubinetto. «Chi ti ha portato qui?» chiese a Jody.

«Un uu... uomo. Un uomo con un furgone.»

«Esci e aspetta con lui. Digli che arriverò fra un attimo...»

«Dobbiamo fare alla svelta.»

Oliver alzò la voce. «Ho detto che arriverò fra un attimo.» Fece girare Jody su se stesso, gli diede una spinta. «Avanti, fila. Digli che mi hai trovato.»

Abbattuto, Jody se ne andò, faticando con la maniglia del portone e sbattendoselo alle spalle. Oliver guardò Liz. «Non sono andati a Londra perché Jody voleva un'ultima occasione per trovare suo fratello. E adesso Caroline sta male. Ecco tutto, mi dispiace» spiegò. Attraversò l'ingresso per prendere il cappotto. Dietro di lui Liz disse: «Non andare».

«Devo farlo» le rispose aggrottando la fronte.

«Telefona al dottore a Strathcorrie, se ne prenderà cura lui.»

«Liz, devo andare.»

«Lei è così importante per te?»

Stava per dire di no; poi scoprì che non voleva farlo. «Non lo so. Forse sì.» Incominciò a mettersi il cappotto.

«E noi? Tu e io?»

«Devo andare, Liz» riuscì soltanto a ripetere.

«Se mi pianti in asso adesso, non c'è bisogno che torni.»

Suonava una sfida o un bluff. Non era comunque importante. Cercò di essere gentile. «Non metterti a dire cose che forse rimpiangerai.»

«Chi dice che le rimpiangerò?» Incrociò le braccia sul petto, stringendole talmente che le nocche delle mani abbronzate sbiancarono. Pareva diventata di colpo fredda, quasi cercasse di controllarsi. «Se non stai attento, sarai tu ad avere i rimpianti. Lei sta per sposarsi, Oliver.»

Aveva indossato il cappotto. «Davvero, Liz?» e cominciò ad allacciarsi i bottoni. Quella calma le fece perdere il controllo.

«Non te l'ha detto? Davvero sorprendente! Oh, sì, si sposerà martedì. A Londra. Con un agente di borsa giovane e arrivato che si chiama Hugh Rashley. È buffo che tu non l'abbia indovinato. Ma naturalmente non portava un anello di fidanzamento, non è vero? Ha detto che era troppo grande e che aveva paura di perderlo, ma a me questo sembra un po' esagerato. Non mi chiedi come faccio a sapere tutte queste cose, Oliver?»

«Come fai a saperle?»

«Me le ha dette mia madre. Ieri mattina al telefono. Vedi, Diana Carpenter è la sua migliore amica e quindi, naturalmente, mia madre sa tutto.»

«Liz, devo andare» ripeté.

«Se hai già perso il cuore» gli disse dolcemente «segui il mio consiglio per non perdere anche la testa. È una storia senza futuro. Farai solo la figura dello sciocco.»

«Scusami con tuo padre. Digli quello che è successo. Digli quanto mi dispiace.» Aprì la porta. «Arrivederci, Liz.»

Liz non riusciva a credere che non si voltasse, che

non tornasse da lei, che non la prendesse fra le braccia e le dicesse che non era successo niente, che l'avrebbe amata come l'aveva amata Charles, che Caroline Cliburn poteva sbrigarsela da sola.

Ma non lo fece. Se n'era andato.

L'uomo del furgone era un omone dalla faccia rossa con un berretto di stoffa a scacchi. Sembrava un fattore e il suo furgone puzzava di letame di maiale; aveva atteso con pazienza che Oliver apparisse e per giunta aveva tenuto compagnia a Jody.

Oliver fece capolino dal finestrino. «Mi dispiace averla fatta aspettare.»

«Niente di male, signore. Non ho fretta.»

«È stato gentile a portare il ragazzo, le sono grato. Spero che non abbia dovuto allungare di molto la strada.»

«Niente affatto. Stavo facendo la solita strada dopo Strathcorrie. Mi ero appena fermato per un goccetto, quando il ragazzino mi ha chiesto di portarlo a Cairney. Sembrava sconvolto e non mi piaceva lasciarlo lì sul margine della strada.» Si voltò verso Jody, gli batté sul ginocchio con una mano grande, carnosa. «Ah, ma adesso starai bene, ragazzo, adesso hai trovato il signor Cairney.»

Jody uscì dal furgone. «Tantissime grazie. Non so che cosa avrei fatto se lei non fosse stato lì e non fosse stato così gentile.»

«Oh, non pensarci. Forse qualcuno farà lo stesso per me un giorno quando sarò a piedi. Spero solo che tua sorella stia bene. Buona notte, signore.»

«Buona notte» disse Oliver. «Grazie ancora.» E, mentre il fanalino di coda del furgone spariva dietro la curva del viale, prendendo la mano di Jody, disse: «Vieni, adesso. Non abbiamo tempo da perdere».

Lungo la strada, dove ogni curva era familiare, con i fari che fendevano veloci l'oscurità Oliver si rivolse a Jody: «Ora raccontami tutto».

«Caroline ha vomitato di nuovo e ha detto che sentiva un dolore. Era pallida e sudata e io non sapevo... il telefono... e poi...»

«No. Dall'inizio. Dalla lettera che Caroline ha scritto. Quella che ha lasciato sulla mia scrivania.»

«Mi ha detto che saremmo ritornati a Londra. Ma io ho risposto che lei aveva promesso di aspettare fino a venerdì e che Angus forse sarebbe stato di ritorno venerdì.»

«Che è oggi.»

«È quello che ho detto. Di aspettare solo fino a oggi. Lei ha detto che era meglio per tutti se tornavamo a Londra e ti ha scritto una lettera, ma poi all'ultimo momento... ha ceduto. Ha detto che saremmo andati allo Strathcorrie Hotel solo per una notte, ieri notte appunto, e poi saremmo dovuti tornare a Londra. Allora io ho detto va bene; siamo andati a Strathcorrie e la signora Henderson ci ha dato le stanze. Tutto è andato bene fino a colazione, quando lei si è sentita malissimo e ha detto che non ce la faceva assolutamente a guidare. Così è rimasta a letto, poi ha cercato di pranzare, ma ha detto che stava per vomitare, ha vomitato; poi è cominciato quel dolore terribile.»

«Perché non l'hai detto alla signora Henderson?»

«Non sapevo che cosa fare. Ho continuato a pensare che forse Angus sarebbe tornato e che tutto si sarebbe sistemato. Ma lui non è arrivato e Caroline è soltanto peggiorata. Poi io sono andato a cenare da solo perché lei non voleva cenare; quando sono salito di sopra, era tutta sudata e sembrava che stesse dormendo, ma non dormiva. Ho pensato che stesse per morire...»

La sua voce stava diventando isterica. Oliver disse con calma: «Avresti potuto telefonarmi. Avresti potuto cercare sull'elenco il numero telefonico».

«Ho paura dei telefoni» disse Jody e il fatto stesso che l'ammettesse dava una certa misura della sua angoscia. «Non riesco mai a sentire quello che la gente dice e metto sempre il dito nel buco sbagliato.»

«Allora che cosa hai fatto?»

«Sono corso di sotto e ho visto quell'uomo gentile che usciva dal bar; ha detto che stava andando a casa ed è uscito. Io l'ho seguito e gli ho detto che mia sorella stava male; gli ho raccontato di te e gli ho chiesto se mi portava a Cairney.»

«Io non c'ero.»

«No. Quel brav'uomo è uscito dal veicolo, ha suonato i campanelli e via dicendo; allora io ho pensato alla signora Cooper. Mi ha portato a casa sua, lei mi ha abbracciato forte, quando mi ha visto e mi ha detto che eri a Rossie Hill. Il signor Cooper mi ha detto che mi ci avrebbe portato lui, sebbene fosse in bretelle e pantofole, ma quel brav'uomo ha detto no, l'avrebbe fatto lui, conosceva la strada. Così ha fatto. E sono arrivato. Mi dispiace di aver rovinato la festa.»

«Non era importante» disse Oliver.

A quel punto Jody aveva smesso di piangere. Sedeva proteso in avanti sul bordo del sedile come se quella posizione servisse a farli andare più veloci. «Non so che cosa avrei fatto se tu non fossi stato là» disse alla fine.

«Ma c'ero. Sono qui.» Stese il braccio sinistro e si strinse vicino Jody. «Hai fatto molto bene. Hai fatto tutto quello che si doveva fare.»

La strada filava via veloce. Salirono e oltrepassarono la collina. Le luci di Strathcorrie brillavano giù in lontananza, raccolte nelle pieghe delle montagne scure e silenziose. "Stiamo arrivando", disse mentalmente a Caroline. "Stiamo arrivando, io e Jody."

«Oliver.»

«Sì.»

«Secondo te che cos'ha Caroline?»

«Non me ne intendo» disse Oliver «ma a occhio e croce direi che deve togliere l'appendice.»

8

Quella diagnosi si dimostrò esatta. Nel giro di dieci minuti il medico di Strathcorrie, chiamato in fretta dalla signora Henderson, arrivò, confermò l'appendicite, fece a Caroline un'iniezione per alleviare il dolore e scese a chiamare il Cottage Hospital locale e a telefonare a un'ambulanza. Jody, con ciò che sembrava una rara dimostrazione di tatto in un ragazzino, andò con lui. Ma Oliver rimase con Caroline, seduto sul bordo del letto, tenendole le mani fra le sue.

«Non sapevo dove fosse andato Jody. Non sapevo che fosse venuto a cercarti» disse con voce già leggermente intontita.

«Mi ha colto completamente alla sprovvista, quando è comparso di colpo. Pensavo che foste ritornati tutti e due sani e salvi a Londra.»

«Non siamo andati a Londra. All'ultimo momento non ce l'ho fatta a partire. Non dopo aver fatto una promessa a Jody.»

«Meglio così. Un'appendicite che scoppia a metà viaggio sull'autostrada non sarebbe stata uno scherzo.»

«No, vero?» Lei sorrise. «Immagino che sia quella

la causa di tutti i miei disturbi, facendomi venire tanta nausea, voglio dire. Non ho mai pensato all'appendicite.» «Devo sposarmi martedì» aggiunse.

«Ecco un appuntamento che non riuscirai a mantenere.»

«Te l'ha detto Liz?»

«Sì.»

«Te l'avrei dovuto dire io. Non so perché non l'ho fatto.» Si corresse. «Non lo sapevo.»

«Ma adesso lo sai?»

«Sì» rispose rassegnata.

«Caroline, prima che tu aggiunga qualcos'altro, sappi che, quando ti sposerai, non sarà con nessun altro se non con me.»

«Non stai per sposare Liz?»

«No.»

«È tutto un gran pasticcio, non è vero? Faccio sempre un gran pasticcio di tutto. Persino il fidanzamento con Hugh sembra essere una parte del pasticcio» disse seria, dopo averci pensato su.

«Non saprei, Caroline. Non conosco Hugh.»

«È simpatico. Ti piacerebbe. È sempre disponibile, organizzato, molto gentile; io gli ho sempre voluto molto bene. È il fratello minore di Diana. Te l'ha detto Liz? Ci è venuto a prendere all'aeroporto al nostro ritorno da Aphros e si è preso cura di tutto; da quel momento, per qualche ragione, ha fatto sempre così. Naturalmente Diana ha incoraggiato l'idea che noi ci sposassimo. Il fatto che sposassi suo fratello gratificava il suo senso dell'ordine. Restava tutto in famiglia, ben chiaro e ordinato. Eppure non avrei mai accettato di sposarlo, se non fosse stato per quella storia infelice con Drennan Colefield. Quando Drennan mi ha lasciato, ho pensato che non mi sarei mai più innamorata sul serio e così non importava se amavo veramente Hugh oppure no.» Aggrottò la fronte. «Vuol dire qualcosa?» gli chiese, intontita e confusa.

«Sì, parecchie cose.»

«Che cosa devo fare?»

«Sei innamorata di Hugh?»

«In un certo modo, ma non in quel modo.»

«Allora non c'è problema. Se è una brava persona, e deve esserlo, altrimenti tu non avresti mai acconsentito a sposarlo, allora sarebbe un grosso errore caricarlo per il resto della vita del peso di una moglie poco convinta. In ogni caso non potrai sposarlo martedì. Sarai troppo impegnata a stare seduta a letto, a mangiare uva, annusare i fiori e leggere riviste patinate.»

«Dovremo dirlo a Diana.»

«Lo farò io. Non appena ti avranno portato via sull'ambulanza, la chiamerò.»

«Dovrai dare una tremenda quantità di spiegazioni.»

«È la cosa che so fare meglio.»

Lei mosse la mano, allacciando le dita alle sue. «Ci siamo incontrati appena in tempo, non è vero?» concluse soddisfatta.

Oliver sentì un improvviso, inspiegabile groppo alla gola. Si protese e la baciò. «Sì» disse, con voce rauca. «Abbiamo davvero rischiato. Ma ce l'abbiamo fatta.»

Quando finalmente la vide partire, accompagnata dagli uomini dell'ambulanza e da una infermiera rotondetta e gentile, gli sembrò di aver già vissuto tutta una vita. Guardando il fanalino di coda dell'ambulanza allontanarsi, lungo la strada vuota e sotto il piccolo arco di pietra, e infine sparire mormorò una preghiera silenziosa. Al suo fianco, Jody mise una mano nella sua.

«Guarirà, non è vero, Oliver?»

«Certo.»

Ritornarono in albergo, due uomini che avevano realizzato grandi cose.

«Che cosa facciamo adesso?» chiese Jody.

«Lo sai meglio di me.»

«Telefoniamo a Diana.»

«Giusto.»

Comprò una Coca-Cola per Jody, sistemò il ragazzo a un tavolo appena fuori della cabina del telefono, si rinchiuse nel suo interno soffocante e chiamò Londra. Venti minuti più tardi, finite le lunghe, complicate ed estenuanti spiegazioni, aprì la porta, chiamò dentro Jody e gli porse il ricevitore.

«La tua matrigna vuole parlarti.»

«È arrabbiata?» chiese Jody, sussurrando.

«No. Ma vuole dirti ciao.»

Jody, guardingo, accostò il temuto strumento all'orecchio. «Pronto? Ciao, Diana.» Lentamente un sorriso si diffuse sul suo viso. «Sì, sto bene...»

Lasciatolo solo, Oliver andò a ordinare per sé il whisky con soda più grande che l'albergo potesse offrire. Quando quello arrivò, Jody aveva detto arrivederci a Diana e riattaccato. Emerse raggiante dalla cabina. «Non è affatto irritata e viene in aereo a Edimburgo domani.»

«Lo so.»

«Mi ha raccomandato di stare con te fino ad allora.»

«Ti va bene?»

«Bene? È fantastico.» Vide l'alto bicchiere in mano a Oliver. «Sento improvvisamente una gran sete. Pensi che potrò avere un'altra Coca-Cola?»
«Certo. Va' a chiederla al barista.»

Pensava che fossero arrivati alla conclusione. Che non ci fosse più nulla da fare, che la giornata non potesse più riservare altre sorprese. Ma si sbagliava. Mentre Jody andava in cerca della sua bibita, si udì il rumore di una macchina che risaliva la strada e si fermava fuori dell'albergo. Le portiere si aprirono e si chiusero; ci fu una confusione di voci e di passi e l'istante successivo le porte dell'albergo, per metà a vetri, si spalancarono e dalla strada entrò una signora minuta con i capelli grigi, molto elegante, con un completo bianco e rosa come zucchero glassato e scarpe di coccodrillo. Fu immediatamente seguita da un giovane che, stracarico di valigie rivestite di stoffa scozzese, urtò contro la porta girevole, perché non aveva una mano libera con cui tenerla aperta. Era alto e biondo, con i capelli lunghi, il volto curiosamente slavo, con gli zigomi alti e sporgenti e una larga bocca incurvata. Indossava un paio di pantaloni di velluto azzurro chiaro e un largo cappotto di pelo lungo. Mentre Oliver osservava, portò le valigie al bancone della reception, le buttò sul pavimento e tese una mano per suonare il campanello.

Ma non ebbe il tempo di suonarlo, poiché proprio in quel momento Jody tornò dal bar. Fu come quando un film si blocca. I loro sguardi si incontrarono ed entrambi rimasero fermi, quasi immobili, a fissarsi. Poi, con uno scatto e un ronzio, il film si mise di nuovo in moto. Il giovane gridò «Jody!» a squarciagola e, prima che chiunque dicesse un'altra parola, Jody si era catapultato attraverso l'ingresso fra le braccia del fratello.

Quella sera tornarono tutti a Cairney. Il pomeriggio seguente Oliver lasciò i fratelli e andò da solo in macchina a Edimburgo a prendere Diana che arrivava in aereo da Londra. Rimase ad aspettarla nella sala arrivi del Turnhouse Airport, osservando dalle vetrate i passeggeri che scendevano lungo le passerelle, e non appena Diana apparve, la individuò subito: alta, snella, con indosso un morbido soprabito di tweed con un piccolo nodo di visone al collo. Mentre attraversava la pista, Oliver avanzò per andare a salutarla. Vide le sopracciglia aggrottate, l'espressione ansiosa. Quando attraversò le porte a vetri, le si fece incontro dicendo: «Diana».

Aveva i capelli biondi raccolti in un pesante chignon sulla nuca e gli occhi azzurri. Sembrò immediatamente sollevata, parte dell'ansia scomparve dal suo viso.

«Lei è Oliver Cairney.» Si strinsero la mano; poi, per qualche ragione sconosciuta ma evidentemente valida, lui la baciò.

«Caroline?» chiese lei.

«L'ho vista questa mattina. Va bene. Starà benissimo.»

Oliver le aveva raccontato tutto la sera prima al telefono, ma ora, sfrecciando verso nord oltre il Forth Bridge, le disse di Angus.

«È arrivato ieri sera, proprio come aveva annunciato. Con quella donna americana che ha scarrozzato per le Highlands. È entrato in albergo, Jody l'ha visto e c'è stato un incontro straordinario.»

«È straordinario che si siano addirittura riconosciuti. Non si vedono da anni.»

«Jody vuole molto bene a Angus.»

«Me ne rendo conto» disse Diana con un filo di voce.

«Non se ne era resa conto prima?» chiese, attento a non parlare in tono di rimprovero.

«È difficile... è stato difficile fare la matrigna. Non si può fare la madre e d'altra parte si deve cercare di essere più di una semplice amica. Non erano come gli altri bambini. Sono cresciuti da soli, selvaggi, scalzi, completamente liberi. Finché era vissuto il padre, funzionavo, ma è stato diverso dopo che morì.»

«Lo posso capire.»

«Non so se può capire. È stato come camminare sul filo di un rasoio, perché non volevo sopprimere le loro inclinazioni naturali e al tempo stesso sentivo di dovergli dare una base solida per vivere la loro vita. Caroline è stata sempre molto vulnerabile. Ecco perché ho cercato di convincerla a lasciare la scuola di recitazione e ad abbandonare l'idea di trovare un lavoro nel teatro. Avevo una paura terribile che si scoraggiasse, che fosse delusa e ferita. Quando tutti i miei timori si sono avverati, è stato meraviglioso che lei incominciasse a voler bene a Hugh. Credevo che Caroline, con Hugh a prendersi cura di lei, non sarebbe stata ferita di nuovo. Forse... ho manipolato un po' la situazione, ma le giuro che è stato con le migliori intenzioni del mondo.»

«Ha detto a Hugh quello che le ho detto ieri sera al telefono?»

«Sì. Ho tirato fuori la macchina e sono andata nel suo appartamento, perché non avevo il coraggio di parlargliene al telefono.»

«Come l'ha presa?»

«Non si può dire con Hugh. Ho avuto l'impressione che, per qualche strana ragione, si aspettasse una cosa del genere. Non che abbia detto niente. È una persona autosufficiente, molto civile. Il fatto che Caroline sia in ospedale diminuisce l'imbarazzo di dover posporre il matrimonio e, quando il fidanzamento sarà formalmente rotto, la gente si sarà abituata all'idea.»

«Spero di sì.»

La voce di Diana cambiò. «Dopo aver visto Hugh, sono andata a trovare Caleb, quel vecchio stupido. Fra tutte le cose irresponsabili che poteva fare, prestare ai ragazzi una macchina come quella! C'è da stupirsi che sia arrivata fino in Bedfordshire senza scoppiare. E senza dirmi una parola. Avrei davvero voluto strangolarlo.»

«L'ha fatto con le migliori intenzioni del mondo.»

«Prima di tutto avrebbe almeno potuto assicurarsi che la macchina fosse in ordine.»

«Ovviamente vuole molto bene a Jody e Caroline.»

«Sì, voleva bene a tutti loro. Al loro padre, a Jody, a Caroline e a Angus. Sa, volevo che Angus stesse con noi dopo la morte di suo padre, ma lui rifiutava il mio tipo di vita e quello che potevo offrirgli. Aveva diciannove anni, e non mi sarei mai sognata di impedirgli di avventurarsi in quella folle escursione in India. Speravo solo che alla fine avrebbe lasciato perdere tutto e sarebbe tornato da noi, incominciando a vivere una vita normale. Non l'ha fatto. Immagino che Caroline glielo abbia detto. Non l'ha mai fatto.»

«Me l'ha detto lui» disse Oliver. «Ieri sera. Abbiamo parlato fino alle ore piccole del mattino. Gli ho spiegato quello che Jody voleva da lui... che tornasse a Londra e gli desse una casa. Angus mi ha detto quello che vuole fare lui. Gli è stato offerto un lavoro in una ditta che noleggia panfili nel Mediterraneo. Tornerà a Aphros.»

«Jody lo sa?»

«Non gliel'ho detto. Volevo discuterne con lei prima.»

«Che cosa c'è da discutere?»

«Questo» rispose Oliver e glielo disse e – clic clic – i pezzi si incastrarono, combinandosi proprio come se fossero stati programmati. «Ho intenzione di sposare Caroline. Ho intenzione di sposarla non appena starà meglio. Il mio lavoro è a Londra e ho già un appartamento dove potremo vivere e, se lei e suo marito siete d'accordo, dove potrà vivere anche Jody. C'è un sacco di spazio per noi tre.»

Ci volle del tempo perché Diana lo capisse. «Intende dire che non verrà in Canada con noi?»

«Gli piace la sua scuola, gli piace vivere a Londra, gli piace stare con sua sorella. Non vuole andare in Canada.»

Diana scosse la testa. «Mi chiedo perché non l'ho mai indovinato.»

«Forse perché Jody non voleva che lei lo sapesse. Non voleva ferirla.»

«Io... io sentirò terribilmente la sua mancanza.»

«Lo farà restare?»

«Lo vuole davvero?»

«Lo vogliamo tutti.»

«Hugh non l'avrebbe fatto. Non era disposto a prendersi Jody» commentò ridendo.

«Io sì» disse Oliver. «Se lei me lo permetterà. Avevo solo un fratello e mi manca molto. Se devo averne un altro, vorrei che fosse Jody.»

Percorsero il viale di Cairney. Angus e Jody li stavano aspettando, seduti sul gradino della porta d'ingresso, un paziente comitato d'accoglienza composto da due persone. La macchina non era ancora del tutto ferma che Diana scese, agitata, niente affatto composta, chinandosi a prendere fra le braccia Jody, tutto emozionato, e alzando poi lo sguardo dalla sua testa luminosa al viso di Angus. L'espressione di lui era cauta, ma priva di risentimento. Non erano mai andati d'accordo, ma Angus aveva superato gli attriti e a quel punto, qualunque cosa lui scegliesse di fare, non riguardava Diana. Per questo gli era molto riconoscente.

Diana sorrise, si drizzò e ricevette l'abbraccio enorme e impacciato di Angus. «Oh, Angus» disse. «Creatura impossibile. Che meraviglia rivederti!»

Diana voleva soprattutto vedere Caroline, perciò Oliver scaricò il suo bagaglio, porse a Angus le chiavi della macchina e gli disse di accompagnarla.

«Voglio andare anch'io» disse Jody.

«No. Noi stiamo qui.»

«Perché? Voglio vedere Caroline.»

«Più tardi.»

Osservarono la macchina allontanarsi. Jody chiese di nuovo: «Perché non mi hai lasciato andare?».

«Perché è bello che loro stiano insieme. Non si vedono da tanto tempo. Inoltre, voglio parlarti. Ho un bel po' di cose da dirti.»

«Cose belle?»

«Penso di sì.» Appoggiò la mano sul collo di Jody, lo fece voltare gentilmente ed entrarono. «Molto belle.»

NELLA COLLANA
OSCAR BESTSELLERS

Rosamunde Pilcher
I cercatori di conchiglie

Penelope Keeling ha imparato a conciliare ricordi e speranze. Nel suo passato c'è un padre famoso, un marito scialbo e un grande amore. Nel suo futuro ci sono i figli, gli amici e un giardino da curare... Una grande storia romantica, delicata, eccitante, intessuta di piccole meraviglie quotidiane e di forti sentimenti.

Rosamunde Pilcher
Settembre

Una breve estate tra le colline scozzesi. Una grande festa da ballo. Ma dietro l'allegria si nascondono pene e segreti. Un amore in pericolo, un'amicizia incrinata, un incubo che non si dissolve. Sul più romantico degli sfondi, una vicenda che ha l'incanto dei sogni e il vigore della vita.

NELLA COLLANA
OSCAR BESTSELLERS

Rosamunde Pilcher

Le bianche dune della Cornovaglia

Una ragazza sensibile e intelligente.
Un irrequieto pittore di grande talento.
Una ragazzina cresciuta senza amore.
I loro destini si incontrano in un cottage sul mare,
in Cornovaglia. E da questo incontro
può nascere un amore, che può dare a tutti
una speranza di felicità...

Rosamunde Pilcher

Sotto il segno dei gemelli

Flora non sapeva.
È stato il caso ha farle incontrare Rose,
la sua gemella. Determinata a scoprire la verità,
si mette sulle tracce di un passato
che non le appartiene e che potrebbe schiacciarla
Una moderna commedia degli equivoci,
dove ognuno ha i suoi segreti.
Dove solo l'amore riporta il sorriso.

I MITI

John Grisham, *Il Socio*
G. García Márquez, *Dell'amore e di altri demoni*
Kuki Gallmann, *Sognavo l'Africa*
Erich Fromm, *L'arte di amare*
Ken Follett, *I pilastri della terra*
Wilbur Smith, *Sulla rotta degli squali*
Rosamunde Pilcher, *Settembre*
Leo Buscaglia, *Vivere, amare, capirsi*
Dominique Lapierre, *La città della gioia*
Thomas Harris, *Il silenzio degli innocenti*
Peter Høeg, *Il senso di Smilla per la neve*
Italo Calvino, *Il barone rampante*
Danielle Steel, *Star*
Stefano Benni, *Bar Sport*
Luciano De Crescenzo, *Storia della filosofia greca*
Giovanni Paolo II, *Varcare la soglia della speranza*
Patricia Cornwell, *Postmortem*
Sveva Casati Modignani, *Il Cigno Nero*
Jack Kerouac, *Sulla strada*
Hermann Hesse, *Narciso e Boccadoro*
Terry Brooks, *La Spada di Shannara*

Alberto Bevilacqua, *I sensi incantati*
Andrea De Carlo, *Due di due*
Scott Turow, *Presunto innocente*
Marcello D'Orta, *Io speriamo che me la cavo*
G. García Márquez, *Cent'anni di solitudine*
Giorgio Forattini, *Andreácula*
George Orwell, *La fattoria degli animali*
Marco Lombardo Radice, Lidia Ravera, *Porci con le ali*
Erich Fromm, *Avere o essere?*
Ernest Hemingway, *Il vecchio e il mare*
John Grisham, *L'uomo della pioggia*
Hermann Hesse, *Il lupo della steppa*
P.D. James, *Sangue innocente*
Sidney Sheldon, *Padrona del gioco*
Stephen King, *Il gioco di Gerald*
Ezio Greggio, *Presto che è tardi*
Enrico Brizzi, *Jack Frusciante è uscito dal gruppo*
Kuki Gallmann, *Notti africane*
Patricia Cornwell, *Insolito e crudele*
Barbara Taylor Bradford, *La voce del cuore*
Francis Scott Fitzgerald, *Il grande Gatsby*
Ken Follett, *Un luogo chiamato libertà*
Stefano Zecchi, *Estasi*
Sebastiano Vassalli, *La chimera*
Dean Koontz, *Il fiume nero dell'anima*
Alberto Bevilacqua, *L'Eros*
Luciano De Crescenzo, *Il dubbio*
John le Carré, *La passione del suo tempo*
Robert James Waller, *I ponti di Madison County*
Rosamunde Pilcher, *I cercatori di conchiglie*
Aldo Busi, *Seminario sulla gioventù*

Susanna Tamaro, *Va' dove ti porta il cuore*
Stephen King, *Misery*
G. García Márquez, *Cronaca di una morte annunciata*
Patricia Cornwell, *La fabbrica dei corpi*
Luciano De Crescenzo, *Panta rei*
David B. Ford, *Il potere assoluto*
Robert Harris, *Enigma*
Frederick Forsyth, *Il giorno dello sciacallo*
Topolino & Paperino, 40 anni di grandi storie Disney
John Grisham, *La giuria*
Willy Pasini, *Intimità*
Sveva Casati Modignani, *Disperatamente Giulia*
John le Carré, *La spia che venne dal freddo*
Anthony De Mello, *Chiamati all'amore*
Il diario di Anna Frank
Patricia Cornwell, *Oggetti di reato*
Margaret Mitchell, *Via col vento*
Andrea De Carlo, *Treno di panna*
Tiziano Sclavi, *Dylan Dog*
Luciano De Crescenzo, *Ordine e Disordine*
Frederick Forsyth, *Icona*
Paolo Maurensig, *Canone inverso*
Fabio Fazio, *Anima mini tour*
Ken Follett, *Il terzo gemello*
Thomas Keneally, *La lista di Schindler*
Omero, *Odissea*
Susanna Tamaro, *Per voce sola*
Ian McEwan, *Lettera a Berlino*
Gino & Michele, Matteo Molinari, *Anche le formiche nel loro piccolo si incazzano*
Madre Teresa, *Il cammino semplice*

Roberto Benigni, *E l'alluce fu*
Dean Koontz, *Intensity*
Dominique Lapierre - Larry Collins, *Stanotte la libertà*
Bonelli - Galleppini, *Tex la leggenda*
Enzo Bettiza, *Esilio*
Patricia Cornwell, *Quel che rimane*
G. García Márquez, *Notizia di un sequestro*
Rosamunde Pilcher, *Le bianche dune della Cornovaglia*
Andrea De Carlo, *Uccelli da gabbia e da voliera*
Ken Follett, *Notte sull'acqua*
Aldo Giovanni e Giacomo, *Nico e i suoi fratelli*
James Ellroy, *L.A. Confidential*
Anthony de Mello, *Sadhana*
Carlo Castellaneta, *Notti e nebbie*
Walt Disney, *Paperinik il vendicatore*
Christian Jacq, *Ramses. Il figlio della luce*
Dominique Lapierre - Larry Collins, *Gerusalemme, Gerusalemme!*
John Grisham, *Il partner*
Susanna Tamaro, *Anima mundi*
Jorge Amado, *Teresa Batista stanca di guerra*
Willy Pasini, *La qualità dei sentimenti*
Christian Jacq, *Ramses. La dimora millenaria*
Enrico Brizzi, *Bastogne*
Christian Jacq, *Ramses. La battaglia di Qadesh*
Patricia Cornwell, *Il cimitero dei senza nome*
P.D. James, *Morte sul fiume*

I MITI
Poesia

Montale, *41 poesie*
Hikmet, *34 poesie d'amore*
Bukowski, *23 poesie*
Saffo
Dickinson, *51 poesie*
Ungaretti, *37 poesie*
Hesse, *52 poesie*
Machado, *26 poesie*
Kavafis, *53 poesie*
Leopardi, *17 poesie*
Whitman, *O Capitano! Mio Capitano! – 19 poesie*
Majakovskij, *18 canti di libertà*
E.L. Masters, *Spoon River – 56 poesie*
Quasimodo, *53 poesie*
Saba, *39 poesie*
Borges, *46 poesie*
Kerouac, *San Francisco Blues – 71 poesie*
Neruda, *Città, città di fuoco, resisti – 24 poesie*
Lirici greci
Bellezza, *40 poesie*
Rimbaud, *La stella piange – Poesie e prose liriche*

D'Annunzio, *27 poesie*
Pessoa, *L'enigma e le maschere – 44 poesie*
Achmatova, *47 poesie*
Bevilacqua, *Poesie d'amore*
Hemingway, *43 poesie*
Pavese, *53 poesie*
Caproni, *44 poesie*
Dylan Thomas, *26 poesie*
Neruda, *Poesie d'amore*
Beat Generation, *67 poesie*
Hikmet, *Altre poesie d'amore*
Orazio, *Carpe diem*
Luzi, *57 poesie*
Lucrezio, *La natura delle cose – 51 frammenti*
Yeats, *33 poesie*
Bertolucci, *36 poesie*
Pasolini, *20 poesie*
Baudelaire, *39 fiori del male*
Dickinson, *48 poesie*
49 Canti degli Indiani d'America
Eluard, *44 poesie*
Brontë, *35 poesie*
Blake, *32 poesie*
De Moraes, *55 poesie*
Ovidio, *21 elegie d'amore*
Pessoa, *48 poesie*
Wilde, *24 poesie*
Pound, *11 cantos*
Merini, *57 poesie*
Fiori di fuoco, 100 poesie d'amore maledetto
Kerouac, *36 blues*

Jiménez, *55 poesie*

Ovadia, *Oylem Goylem*

Mao Tse-tung, *36 fiori di carta*

Alberti, *47 poesie d'amore*

Szymborska, *25 poesie*

La voce della pioggia è la mia voce, 50 canti Navajo

I SUPERMITI

Walt Disney, *Paperamses*

Laura Toscano, *Il maresciallo Rocca e l'amico d'infanzia*

AA.VV., *La pittura italiana*

Oscar Mondadori
Periodico bisettimanale:
N. 3117 del 2/11/1998
Direttore responsabile: Massimo Turchetta
Registr. Trib. di Milano n. 49 del 28/2/1965
Spedizione abbonamento postale TR edit.
Aut. n. 55715/2 del 4/3/1965 - Direz. PT Verona

ISSN 1123-8356

45644
1998